아주 특별한 인·생·수·업

아버지의 편지

Long run 롱런

아버지의 편지

필립 체스터필드 서간집. 옮긴이: 박종익/2014. 4. 14. 1판 1쇄 발행/발행처 *Long run* 롱런
발행인: 이규각/등록 번호: 제 384-2008-000039호
등록 일자 2008. 12. 04.
주소: 경기도 안양시 만안구 냉천로 29-1 (우편 번호: 430-825)
전화: 017-291-2246 • 팩스: (031)477-2727

*이 도서의 **국립중앙도서관** 출판시도서목록(CIP)은 서지정보유통지원시스템 홈페이지(http://seoji.nl.go.kr)와 국가자료공동목록시스템(http://www.nl.go.kr/kolisnet)에서 이용하실 수 있습니다.(CIP제어번호: CIP2014005220)

아주 특별한 인·생·수·업

아버지의 편지

필립 체스터필드 서간집/옮긴이: 박종익

Long run 롱런

흔들리는 청춘을 위하여

인생의 주인공은 바로 너 자신이다. 가장 많이 고뇌하고 번민하는 젊은 날의 너는 반드시 올바른 길로 가기를 바란다.

대부분의 젊은이들은 나침반이 없는 배와 같다. '언젠가는 풍요롭고 행복한 항구로 가겠지' 라는 막연한 꿈을 꾼다. 이것은 비바람이 몰아치는 어둡고도 망망한 바다를 표류하는 것과 같아서 결국 항해하는 동안 암초에 부딪쳐 침몰하고 만다.

그러나 일부의 젊은이들는 목적지를 정한 다음 원하는 곳에 이르도록 최선의 항로를 검토하고 항해술도 연구한다. 따라서 이 배는 예정된 항해를 계속하게 되는데, 끝끝내 나침반이 없는 젊은이가 일생 동안 항해하는 거리 이상을 단 몇 년만에 도달한다. 그것도 지름길로 더 멀리 항해를 계속한다. 이러한 젊은이들은 모두가 미래의 목적지를 잘 알고 있다. 지금 어디에 와 있는지도 알고 있을 뿐만 아니라 항해 도중에

폭풍우를 만나더라도, 혹은 예기치 않은 고난이 닥치더라도, 그날그날 할 일을 열심히 하므로써 기필코 목적지에 도달하는 인생의 승리자가 된다.

이처럼 인생의 승리자는 출발 전에 목표를 가지고 있다. 자신이 어떤 사람이 되고 싶은지, 최후까지 지켜야 할 것은 무엇인지를 잘 안다.

옮긴이

이 책은 꿈 많은 청춘들에게 지혜를 주는 인생 최고의 지침서로 전세계 1,000만 독자의 꾸준한 사랑을 받고 있다.

prologue

1장

2장

3장

4장

5장

6장

7장

8장

9장

1장

사랑하는 너에게

바로 이 순간이 네 인생을 결정한다

바로 이 순간의 준비가 인생의 디딤돌이 된다

네가 이 순간에 무엇보다도 마음에 새겨 둘 것이 있다. 그것은 시간의 소중함을 깨닫고 가치 있게 쓰는 것이다. 시간의 소중함을 진정으로 아는 사람은 아주 드물다. 사람들은 흔한 말로 '시간은 소중하다'라고 말을 한다. 그러나 정작 시간을 소중하게 쓰는 사람은 별로 없다. 시간을 무의미하게 쓰는 사람조차도 시간은 아주 소중하다든가, 시간은 번개와 같이 눈 깜박할 사이에 지나간다고 말을 한다. 사실 시간에 대한 격언은 헤아릴 수 없이 많다. 그래서 그런지 누구든 무심코 말하는 것이 아닐까?

어쨌든 사람들이 시간에 관심을 가지게 된 것은 유럽의 곳곳에 설치되어 있는 그럴듯한 '해시계'의 영향을 받았기 때문이 아닌가 싶다. 사람들은 하루하루 그것을 보면서 시간을 잘 활용하는 것이 얼마나 중요한가를 몸소 체험하므로써 한 번 지나간 시간은 결코 되돌릴 수 없다는 것을 알았을 것이다. 그런데 이것을 머리로만 배워서 단순히 말하는 것은 일

고의 가치도 없다. 자기 스스로 남들에게 가르쳐 줄 수 있을 정도로 터득해야 한다. 그래야 시간의 가치나 쓰는 법에 대하여 진정 이해했다 할 것이다.

미루어 짐작컨대 너는 시간 쓰는 법이나 시간에 대한 소중함을 잘 알고 있는 것 같다. 이것은 매우 중요한 일이다. 잘 알고 있느냐 모르고 있느냐에 따라서 앞으로의 네 인생이 하늘과 땅만큼 크게 달라진다. 그렇기 때문에 더 이상 나는 시간을 가지고 이러쿵저러쿵 잔소리할 생각은 없다. 다만 너에게 꼭 한 가지 당부하고 싶은 것이 있다. 그것은 앞으로 살아가야 할 긴 인생 중의 한 기간, 즉 2년 간은 기초적인 지식을 충실히 쌓아야 한다.

이제 2년 후면 네 나이가 열여덟 살이 된다. 우선 열여덟 살이 될 때까지 기초적인 지식을 쌓지 않는다면 그 이후 네가 원하는 만큼 살 수가 없다. 참으로 지식이란 나이를 먹으면서 삶의 보금자리가 되어 주고 어려움을 극복하게 해준다.

***

지금 이 순간을 헛되이 보내면 살아 있는 동안 후회한다

나는 은퇴한 후에도 늘 책 속에 묻혀 보낼 생각이다. 지금 내가 이렇게 자유롭게 독서의 즐거움에 푹 빠질 수 있는 것도 젊은 시절 열심히 공부했기 때문이다. 그렇다고 해도 그때 좀 더 열심히 공부를 했었더라면 더 마음이 흡족했을 것이다. 어쨌든 이렇게 세상의 번잡한 일상을 떠나 독서와 함께 편안한 안식을 얻게 되었다.

나는 젊은 시절 많은 지식을 쌓아 둔 것에 대하여 백 번 잘했다고 생각한다. 그렇다고 해서 놀았던 시간들이 보람없다거나 실속없다는 뜻은 아니다. 논다는 것은 인생에 활력을 불어넣어 준다. 또한 젊은이들의 기쁨이기도 하다.

젊은 시절 나도 마음껏 놀았다. 또한 후회하는 일도 없다. 만일 그렇지 않았다면 지금의 나는 논다는 것에 대하여 부정적일 것이다. 왜냐하면 자기 스스로 해보지 않은 사람은 잘 모르기 때문이다.

나는 마음껏 놀은 시간이 쓸데없는 것이라고는 생각지 않는다. 어느것이든 실제로 해보지 않은 사람들은 그것이 매우 멋질 거라는 생각을 한다. 그래서 자기도 한 번 해보고 싶어 하지만 실제와는 다르고 또한 경험하지 않으면 모른다.

다행스럽게도 나는 일을 하거나 노는 것에도 능숙했다. 주변 사람들에게 감동을 준 적도 있거니와 쓸데없는 놀이나 부조리한 업무의 속사정도 잘 알고 있다. 그러므로 후회하기 보다는 잘했다고 생각한다. 그러나 내가 오직 한 가지 후회하고 있고 앞으로도 후회할 것이 있다. 그것은 젊고 힘이 왕성한 나이에 별다른 의미나 보람도 없이 나태하게 시간을 보냈다는 것이다.

네 인생에 있어 향후 2년 간은 매우 중요하다. 그러니 아버지로서 누차 부탁하건대 부디 이 시기를 알차게 보내라. 지금 네가 하릴없이 빈둥거리고 무의미하게 시간을 보낸다면 그만큼 머리가 텅 비게 된다. 또한 인격 형성에 있어서도 큰 손실이 온다. 그렇지만 그와 반대로 시간을 가치 있게 쓴다면 그러한 시간들이 하루하루 쌓이고 쌓여서 큰 선물로 되돌아온다.

앞으로 2년 간은 학문의 기초를 확실히 닦아야 할 때이다. 일단 기초를 확실히 닦아 놓면 언제든지 필요한 때에 필요한 만큼의 지식을 쌓아 갈 수 있다. 그러나 막상 세월이 흐르고 난 후로 기초적인 학문을 닦겠다고 하면 이미 때는 늦는다. 또한 별가치도 없다.

나는 네가 사회로 진출한 후 굳이 책을 많이 보라고 하지는 않겠다. 그때는 지금처럼 책을 볼 시간적인 여유조차 없을 뿐더러 설령 있다 하더라도 이미 책만 보고 있을 처지가 아니다. 그러므로 네 인생에 있어서 지금이야말로 공부할 수 있는 유일한 시기이고, 마음껏 지식을 쌓기에 둘도 없는 기회이다. 그래도 가끔은 책이 지겹고 싫증이 나겠지, 그럴 때에는 이렇게 생각해라.

'이런 과정은 어차피 누구나 한 번은 거쳐가야 하는 길이다. 한 시간

이라도 더 노력하면 더 빨리 목적지에 다다를 수 있고 그만큼 빨리 자유롭게 된다.'

이때 얼마나 빨리 자유로워질 수 있는가에 대한 답은 오직 시간을 어떻게 활용하느냐에 달려 있다.

명언 한마디

* 보다 나은 사람이 되려면 끊임없이 노력해야 한다. 노력이란 인생의 참된 의미가 포함되어 있다. 그렇다면 계속해서 어떻게 나아갈 것인가. 그것은 오직 노력만이 가능하다. 노력이 없이는 결코 나은 사람이 될 수 없다.

톨스토이

톨스토이: 러시아의 소설가이며 사상가. 선과 사랑에 의한 세계의 구제 즉, 인격은 자기 완성을 통한 사람의 구제란 이론을 폈는데, 이런 사상을 톨스토이주의라고 한다. 「전쟁과 평화」「안나 카레니나」「부활」 등의 대하 소설이 있으며, '신과 인류를 위한 봉사에 자신을 바치다'란 구도자적 삶을 주창했다.

* 큰일을 하려고 하는 경우에는 기회를 만들어 내기보다는 눈앞의 기회를 잡도록 힘써라.

라 로슈푸코

자기 발전에 있어서 노력이란 지나침이 없다

네 나이 때에는 규칙적인 생활만으로도 충분하게 건강이 유지된다. 그러나 두뇌의 경우는 다르다. 특히 두뇌를 쉬게 하려면 물리적인 운동이 병행되어야 한다. 이럴 경우 어떻게 시간을 효율적으로 활용하느냐 못하느냐가 중요하다. 그것도 장래를 위한 두뇌의 활동에 큰 영향을 끼친다. 그것뿐만 아니다. 두뇌를 명석하게 그리고 건강한 상태로 유지하려면 상당한 훈련이 필요하다. 잘 훈련된 두뇌와 그렇지 못한 두뇌를 비교해 보면 금방 차이가 난다. 그런 차이를 인식했다면 네 스스로가 두뇌 훈련에 많은 시간과 노력을 쏟아야 한다. 물론 세상에는 선천직으로 재능을 보이는 사람들이 있다. 그러나 극히 예외적인 경우인데 무작정 재능만을 믿고 게을리하면 안 된다. 만일 그러한 재능을 가지고 있는 사람이 보다 더 많은 노력을 한다면 위대하게 될 것은 자명하다.

네게 꼭 하고 싶은 말이 있다. 그것은 시기를 놓치기 전에 많은 지식을 습득하라는 것이다. 만일 이것을 실천할 수 없다면 성공하기에 앞서 평범한 사람조차도 될 수 없다.

네 자신의 처지를 한 번 돌아보아라. 너는 성공의 발판이 될 어떤 지위나 돈도 없다. 나 역시도 언제까지나 정계에 있을 수는 없다. 그렇다면 네가 의지하고 기댈 수 있는 것은 무엇일까. 그것은 바로 너 자신의 능력뿐이다. 이것이 성공의 유일한 길이다. 물론 너에게 그만한 능력이 있다는 것을 전제로 한 말이다.

나는 종종 자기는 능력이 있는 사람인데, '사회로부터 인정을 받지 못했다' '대우를 받지 못했다' 라는 말을 들은 적이 있다. 또한 책을 통해서도 보았다. 그러나 내 상식으로 비추어 볼 때 그런 일은 실제로 없다. 반드시라고 말을 해도 좋다. 언제나 능력이 있는 사람은 그 어떤 역경에 처하더라도 끝내는 성공을 하게 마련이다.

명언 한마디

* 당신의 삶은 당신이 운전하는 것과 같습니다. 운전석에 앉아서 전진을 할 수도 있고 후진을 할 수도 있으며, 속도를 내거나 멈추어 설 수도 있습니다. 당신이 생각하는 일에 있어서 언제나 자신에 대한 독립성을 지키십시오. 또한 생각과 꿈을 마음껏 펼치십시오. 더 나아가 당신은 자신을 다스리고 다른 사람을 위하여 시간을 할애하십시오. 즐겁게 배우고 변화를 받아들이십시오. 삶은 우리에게 펼쳐진 경이로운 선물이기에 스스로 사람이라는 길 위를 달려 충분히 즐겨야 합니다.

스티븐 로빈스

***

매너란 훌륭한 사람이 되기 위한 필요한 것 중의 하나이다

내가 여기에서 '뛰어나다' 라고 말하는 것은 식견이 있으며 매너 또한 훌륭한 사람을 말한다. 식견이 얼마나 중요한가를 말하는 것은 새삼스럽지 않다. 굳이 한마디 덧붙이자면 식견이 없는 사람은 쓸쓸하고 궁색한 인생을 산다. 이제 너 자신도 무엇을 목표로 정하든 그것이 몸에 배도록 해야 한다.

매너는 앞서 말한 것들보다 대수롭지 않을 수 있다. 그러나 훌륭해지기 위해서는 매우 중요한 요소이다. 유감스럽게도 사람의 마음을 사로잡는 것이 지식이나 식견이 아니라 그 사람의 매너인 듯싶다. 어떤 매너를 취하는냐에 따라 지식이나 식견 등이 품위가 있어 보이기도 하고 경박해 보이기도 한다. 또한 어떤 목표를 이루는 데에 있어서 도움이 될 때도 있고 방해가 될 때도 있다.

내가 짬이 있을 적마다 네게 써 보낸 편지, 그리고 앞으로 써 보낼 편지에 대하여 부디 관심을 가져 주기 바란다. 그것들은 오랜 경험을 통해서 얻은 지혜의 결정체이다. 무엇보다도 네게 사랑한다는 마음의 표시로써 너 외에는 진히 충고할 생각이 없다. 아직은 너의 앞날을 위해서 내 마음의 절반도 말하지 않았다. 또한 지금은 나의 충고가 어떻게 도움이 될런지도 모른다. 그러나 현재 상태에서 내가 하는 말을 귀담아들어 주기 바란다. 그렇게 하면 언젠가는 나의 충고가 도움이 되었다는 사실을 깨닫게 될 것이다.

2장

삶을 위한 진정한 용기

남들과 똑같이 행동한다면 만족할 만큼의 발전은 없다. 우선은 꿈을 크게 품고, 할 수 있다는 용기와 해낼 수 있다는 정신력을 키워라

개천에서 나도 제 할 탓이다

게으르고 나태함에 대하여 너에게 말해 주고 싶은 것이 있다. 나의 자애로운 마음을 너는 잘 알 것이다. 그러나 여린 어머니의 그런 마음과는 차이가 있다.

나는 자식의 잘못된 점을 보고도 그냥 지나칠 생각은 없다. 오히려 그 반대이다. 잘못된 점이 있다면 그것을 바로잡아 줄 것이다. 그것이 부모로서 마땅히 해야 할 의무이다. 따라서 그 잘못을 고치려 노력하는 것이 자식의 도리인데 너는 어떻게 생각하느냐.

이제껏 내가 지켜본 바에 따르면 다행히도 너는 인격적인 면에서나 기본적인 재능 면에서 이렇다 할 문제점은 없는 것 같다. 다만 나태한 것이 문제이다. 행여 몸과 마음이 쇠약해진 노인이라면 몰라도 젊은이는 결코 용납이 안 된다.

***

하고자 하는 욕심이 없으면 발전도 없다

젊은이가 나태해서는 안 된다. 상대보다 빛날 수 있도록 큰 뜻을 품고 열심히 노력해야 한다. 또한 무엇을 하든지 적극적이면서도 역동적이어야 한다. 그리고 끈기가 있어야 한다. 율리우스 시저(본명은 카이사르이며, '왔노라, 보았노라, 이겼노라.' '주사위는 던져졌다.' 로마 공화정 말기 최대의 장군 · 정치가 · 역사가)도 이렇게 말했다. "훌륭한 행동이 아니면 행동이라고 말할 수는 없다."

너에게는 젊은이의 기개와 활력이 다소 미흡하거나 부족한 것 같다. 활기가 있어야만 주위 사람들을 즐겁게 해 줄 수 있고 뭔가 남보다 잘 해보겠다는 의지도 생기게 마련이다.

거듭 말하지만 남들한테 가치를 인정받거나 존경받는 사람이 되고 싶다면 그만한 노력이 필요하다. 그렇게 하지 않으면 절대로 존경받을 수 없다. 이것은 진실인데 남을 즐겁게 하려면 나부터 즐거운 마음이 생겨야 남을 즐겁게 할 수 있는 것과 마찬가지이다.

나는 누구나 마음먹은 대로 될 수 있다고 확신한다. 어느 정도의 지능을 갖춘 상태에서 꾸준히 노력한다면 예술과는 다르겠지만 원하는 대로 될 수 있다.

너는 머지않아 빠르고도 치열하게 변해 가는 경쟁 사회의 일원이 된다. 그렇다면 그때를 대비해서 지금 해야 할 일은 어떤 것일까. 그것은 세계의 정세, 국가간의 이해 관계, 경제 상태, 역사, 문화 등에 관한 지식을 고르게 갖추는 일이다. 지식을 쌓는 일은 보통의 지능을 가진 사람이 어느 정도 노력을 하면 해낼 수가 있다. 이만한 일도 못한다는 것은 도저히 말이 안 된다. 자기가 무엇을 해야 하는가를 잘 알고 있으면서도 그것을 실천하지 않는다는 것은 게으르다고 밖에 볼 수 없다.

***

게으른 사람들의 변명

나태하거나 게으르지 마라. 나태하거나 게으른 사람은 끝까지 노력을 하지 않는다. 조금만이라도 까다롭고 짜증이 나면 쉽게 좌절을 하거나 목표을 달성하기 직전에 포기한다. 결국 일의 본질도 모르는 채 겉치레 지식을 얻는 것만으로 만족한다.

사실 성취를 하는 데에 있어서 어느 정도는 어려움과 짜증이 따르게 마련이다. 그럼에도 불구하고 끝내는 좀 더 참고 노력하느니 차라리 바보스럽고 무지한 편이 낫다고 스스로를 위로한다.

나태하거나 게으른 사람들은 어려운 일이 생기면 대부분 '내가 할 수 있는 일이 아니야' 라고 앞서 단정을 짓고 '불가능하다' 라는 식의 말을 한다. 실제로 진지하게 도전해 보면 할 수 없는 일은 거의 없는데도 말이다. 이런 사람들은 어려운 일이 곧 불가능한 일이라고 받아들인다. 또한 자신의 나태함이나 게으름을 변명하기 위해 그런 식으로 단정해 버린다.

한 가지 일에 단 몇 시간 동안을 집중하는 것조차 그들에게는 고통이다. 그러니 무슨 일이든 쉽게 해석하려는 경향이 있고 머리 또한 쓰지 않는다.

예컨대 깊이 생각하지 않는 사람이 통찰력도 있고 집중력도 있는 사람과 대화를 나눈다고 치자. 그러면 이내 무지가 드러나 앞뒤 맞지 않는 말을 계속하게 된다. 이런 상황을 극복하려면 어려움을 느끼거나 귀찮은 일이 생기더라도 처음부터 머뭇거리거나 쉽게 포기해서는 안 된다. 이때 성인이라면 더욱 분발하여 그 누구라도 아는 것은 철저히 알아야겠다는 마음가짐이 필요하다.

***

전문 분야가 아닌 '일반적인 상식'도 알아 두는 것이 중요하다

지식 중에는 어떤 전문 분야를 떠나 그 밖의 사람들에게 필요치 않은 것도 있다. 다시 말해 항해 분야의 종사자가 아닌 이상 대화할 정도의 상식이면 충분하다.

어떤 직업을 갖고 있던 공통적으로 꼭 알아 두어야 할 분야는 처음부터 끝까지 확실하게 배워 두는 것이 좋다. 어학 · 역사 · 지리 · 철학 · 논리학 · 수사학 등이 바로 그것이다. 네 경우는 그것 외에도 주변 국가의 정치 · 군사 · 법률에 관한 지식을 쌓아 둘 필요가 있다. 이처럼 광범위한 지식을 두루 갖춘다는 것은 결코 쉽지 않다. 그렇다고 해도 꾸준히 하나 하나 공부한다면 불가능한 일도 아니다. 결국 그 노력이 너의 장래를 한층 더 밝게 할 것이다.

거듭 너에게 말하지만 곧잘 어리석은 사람들이 말하는 것처럼 '그런 일은 불가능하다' 라는 식의 구구한 변명은 하지 마라. 여기서 나는 네가 구구한 변명은 하지 않으리라 믿고 싶다. 정신적으로나 육체적으로나 '불가능한 일' 은 없다. '한 가지 일에 오랜 시간 집중하지 못한다' 라고 말하는 것은 곧 '나는 어리석은 사람입니다. 하기 싫습니다' 라는 것과 다를 바가 없다.

내가 아는 사람 중에는 식사를 할 때마다 자기의 칼을 어디에 놓을지 몰라서 머뭇머뭇하다 그것을 풀어놓는다. 그리고 칼을 찬 채로 식사하기가 어렵다고 토로한다. 그래서 나는 이렇게 말을 했다.

"칼을 풀어놓는다는 것은 당신 자신은 물론 다른 사람에게도 당연히 안전하다는 것을 증명해 보이는 것이나 다름없습니다."

이와 같이 대부분의 사람들이 쉽게 할 수 있는 일을 '불가능하다' 라고 말하는 것은 참으로 부끄러운 일이며 또한 어리석은 짓이다.

사소한 것에도 관심을 가지면 훌륭한 것을 얻는다

세상에는 대수롭지 않은 일을 가지고도 일 년 내내 바쁘게 살아가는 사람들이 있다. 그들은 무엇이 중요한 것인지 중요하지 않은 것인지를 분별도 못한다. 그러니 막상 중요한 일에 써야 할 시간과 노력을 사소한 일에 써 버리고 만다.

대부분 그런 사람들은 누구를 만나 이야기할 때에도 어떤 옷을 입었는가에만 마음을 빼앗겨서 그런지 정작 상대방의 인격에는 관심이 없다.

마찬가지로 연극도 연극의 내용보다는 무대 장치에만 정신을 빼앗긴다. 그것뿐이면 다행이다. 정치에 관해서도 정책을 진지하게 논하기보다는 형식에 얽매인다. 결국 이런 사람은 발전을 기대할 수 없다.

일상에 있어서 아무리 사소한 것이라도 그것이 없으면 시선을 끌 수도 없고 사람을 즐겁게 할 수도 없다. 훌륭한 사람이 되려면 풍부한 지식이나 사물을 올바르게 판단할 수 있는 식견과 매너를 몸에 익혀야 하겠지만, 동시에 아무리 사소한 것이라도 가치가 있다고 판단되면 이 또한 몸에 익혀야 한다.

어떤 일이고 성취를 위해서라면 무엇보다 그것에 관심을 가져야 한다. 예를 들자면 춤을 추거나 옷을 입을 때에도 신경을 쓰라는 얘기이다. 젊은이들한테 춤은 때와 상황에 따라서는 꼭 배워야 할 일상적인 것이다. 따라서 춤을 배울 때에는 단정하게 배워야 한다. 또한 우습게 보이는 동작이라도 그냥 넘겨서는 안 된다. 복장에 관해서도 마찬가지인데 사람은 모두가 옷을 입어야 한다. 그렇다면 단정하게 입는 것이 좋다.

명언 한마디

* 오랜 시간 동안 누군가에게 오해를 받았을 때 따져야 한다고 생각하지만 그대로 넘어가는 사람이 있고, 지금이야말로 모든 자존심을 버릴 때가 왔다고 생각하지만 계속해서 말다툼을 하는 사람이 있고, 길거리에서 아는 사람을 만났을 때 단 한마디도 없는 사람이 있다.

만약 상대방이 내일 죽게 된다면 사는 동안 후회하게 될 것을 뻔히 알면서도 인사를 미룬다거나, 친구에게 칭찬과 격려를 하고 또한 그의 이야기를 들어주고 싶은데, 도리어 친구의 마음을 괴롭게 하는 사람이 있다. 만일 그가 '인생은 짧다'라는 사실을 지금 깨닫게 된다면 우물쭈물 망설이다 평생 놓쳐버릴 일들을 당장 시작할 것이다.

필립스 블룩스

***

사람이나 사물을 앞에 두고 한눈 팔지 마라

일반적으로 주의가 산만하다고 하는 사람들은 머리가 모자란 사람이거나 집중력이 떨어지는 사람들이다. 그 어느쪽이든 같은 자리에 있어도 즐겁지 않다. 그러한 사람들은 때와 장소를 가리지 않고 예의에 어긋나는 행동을 한다.

어제는 다정하게 지냈던 사람을 오늘은 돌연 모른체한다. 또한 여러 사람들이 모여 즐겁게 대화를 나누는 자리라 해도 자연스럽게 어울리기 보다는 가끔 뭔가 생각이 난듯이 자기 멋대로 화제를 바꾸어서 끼어든다. 이와 같은 행동은 한 가지 일에 정신을 집중시키지 못하고 있다는 증거이다. 그렇지 않다면 보다 더 중요한 어떤 일에 정신을 빼앗기고 있는 것이다.

분명한 것은 아이잭 뉴턴(영국의 물리학자 · 천문학자 · 수학자. 만유인력의 법칙을 확립한 근대 이론 과학의 선구자)을 비롯하여 천지 창조 이래 지금까지 있었던 수많은 천재들이 주위와 상관없이 오직 사색에 빠진다 해도 이것이 허용되었을지 모른다. 그러나 보통 사람은 그렇게 행동해서는 안 된다. 조금이라도 그렇게 한다면 그 사람의 사회 생활은 힘들어진다. 당장 사회로부터 바보 취급을 받게 되고 결국은 친구나 동료들로부터 따돌림을 당하게 될 것이 분명하다. 그렇다고 해도 그것을 언짢게 생각하지 마라. 그것은 상대방을 모욕하고 있는 것과 다름없기 때문이다. 모욕을 당한다는 것은 어떤 사람에게 있어서나 용납될 수 없는 일이다. 너도 생각해 봐라. 존경하거나 사랑하고 있는 사람 앞에서 산만해질 수 있겠는가. 그럴 수는 없다.

우리는 누구라도 자기가 관심을 갖고 있거나 주목할 가치가 있으면 정신을 집중하게 마련이다. 그러니 어떠한 처지에 있더라도 사람은 저마다 주목할 가치가 있다. 솔직히 내 생각을 말하자면 한눈을 팔고 있는 사람과 어울릴 바에야 차라리 죽은 사람과 같이 있는 편이 낫다. 하다못해 죽은 사람은 나를 무시하지는 않을 터이니까. 그런데 정신이 산만한 사람은 대개의 경우 나를 주목할 가치가 없는 사람쯤으로 여겨 은연중에 무시해 버린다. 설령 그것이 이해된다고 하더라도 과연 정신적으로 산만한 사람이 함께 있는 사람의 인격이나 매너, 그 지방의 풍습 등을 정확히 파악할 수 있을 것인가. 그럴 리가 없다. 그런 사람은 평생을 훌륭한 사람들과 친분 관계가 있다 하더라도(물론 그분들이 받아 주어야 하겠지만 나 같으면 절대로 받아 주지 않겠다.) 무엇 하나 얻지 못한다.

현재 해야 할 일, 하고 있는 일에 정신을 집중시키지 못하는 사람은 일을 제대로 할 수 없을 뿐더러 다른 사람들에게도 좋은 말벗이 될 수 없다.

***

「걸리버 여행기」에서 배우는 산만함의 양면성

아마 너도 경험을 통해서 충분히 알고 있겠지만 내가 너의 교육을 위해서라면 단 한푼도 아낄 생각이 없다. 그렇다고 해서 너를 위해 주의력이나 기억을 일깨우고자 도우미(환기 보조원)를 고용해 줄 생각은 조금도 없다. 주의력이나 기억을 일깨워 주는 도우미(환기 보조원)는 조나단 스위프트(영국의 풍자 작가인 동시에, 정치 평론가)가 쓴 「걸리버 여행기」에 나오는데, 너도 읽은 적이 있을 것이다. 걸리버 여행기를 보면 라퓨타 사람들 중에는 언제나 사색에 잠겨 있는 철학자들이 등장한다. 그들은 주의나 기억을 일깨워 주는 도우미(환기 보조원)가 직접 발성 기관이나 청각 기관을 자극해 주지 않으면 말을 할 수도 들을 수도 없다고 한다. 그래서 생활이 넉넉한 집안에서는 하인 중의 한 사람에게 그 일을 맡겼다고 한다. 그들이 사색에 잠겨 있는 동안에 그 어떤 위험이 닥치면, 누구든 가볍게 눈꺼풀을 자극하여 그 상황을 알려 주어야 한다. 그렇지 않으면 언제 언덕 밑으로 발을 헛디딜지, 기둥에 머리를 부딪힐지, 길거리를 걷다가 언제 봉변을 당할지 모르기 때문이다.

물론 나는 라퓨타 사람들처럼 네가 깊은 사색에 잠겨 주변 상황을 망각한다거나 크고 작은 실수를 한다는 것에 대하여 전혀 생각해 본 적이 없다. 너는 조금 어수선한 편인데 그렇다고 해도 너무나 부주의한 나머지 도우미(환기 보조원)가 있어야 할 정도로 심각한 상태에 빠지지 마라.

남들도 너만큼 '자존심'을 가지고 있다

주의나 기억을 일깨워 주는 도우미(환기 보조원)까지야 필요 없겠지만 내가 볼 때 너는 주변 사람들에 대한 주의력이 다소 부족한 것 같다. 주의력이 부족하다는 것은 네가 그들을 은연중에 무시하고 있다는 증거이다. 거듭 말하지만 세상에는 무시해도 좋을 만큼 감정도 없고 무딘 사람도 없다. 물론 이 세상에는 여러 계층의 사람들이 있다. 그중에는 바보스런 사람도 있고 똑똑한 사람도 있다. 굳이 그런 사람들을 존경하라는 것은 아니다. 그렇다고 무시하라는 것도 아니다. 만약 네가 드러내놓고 그들을 무시한다면 결국 너의 처지가 난처해질 수도 있다. 누군가를 마음속으로 싫어하는 것은 자유이다 그러나 그런 마음을 내보일 것까지는 없다. 그것은 결코 비겁하고 위선적인 행동이 아니라 경우에 따라서는 사리에 맞는 처신이다. 왜냐하면 그런 사람들이라고 해도 언젠가는 네게 힘이 되어 줄 때가 올지도 모르기 때문이다. 만일의 경우 네가 단 한 번이라도 그런 사람을 무시한 적이 있다면 상대방은 너에게 힘이 되어 주지 않을 것이다. 누구든 자존심이라는 것이 있어서 남한테 무시를 당하면 언제까지나 무시당한 것을 기억한다. 잘못은 용서받을 수 있어도 무시당한 것은 용서받을 수 없다. 어느 경우에는 견디기 힘들 정도의 수치심을 낳게 한다.

실제적으로 자신의 잘못을 친구에게 털어놓는 경우는 많다. 그러나 아무리 친한 친구 사이라 할지라도 자기의 약점이나 결점은 털어놓지 않는다. 또한 상대의 잘못을 말해 주는 사람은 있어도 약점을 까발리는 사람은 없다. 그것은 자기 스스로 말을 하거나 상대로부터 지적을 받거나 어느쪽이든 자존심이 크게 상한다는 것을 알기 때문이다. 누구든 무시를 당하면 그것에 분노할 만큼의 자존심은 있다. 따라서 욕을 먹어야 할 사람일지라도 평생의 적으로 남지 않으려면 그것을 겉으로 드러내서는 안 된다.

***

무심코 뱉은 말 한 마디가 인생의 적을 만든다

잘난 체를 하고 싶어서 또는 웃기고 싶어서 남의 약점이나 결점을 들추어내는 젊은이들이 종종 있다. 그러나 너는 그런 짓만큼은 절대로 하지 마라. 또한 그런 천박한 유혹에서 벗어나야 한다. 그런 짓으로 당장은 주위 사람들에게 웃음을 줄 수도 환심을 살 수도 있겠지만 너는 평생의 적을 만들게 된다. 아마 그 당시는 너와 함께 웃었던 친구들도 훗날 그 일을 떠올리면 분명 못마땅하게 여길 것이다. 결국은 너를 외면하게 된다. 그뿐이면 다행이다. 그것은 품위를 잃는 행동이다. 인격이 있는 사람이라면 남의 약점이나 불행을 감싸 주지는 못할 망정 그것을 공개적으로 들춰내지는 않는다. 만약 너에게 재치와 유머가 있다면 그 능력으로 남을 괜히 괴롭히거나 헐뜯지 말고 즐거움을 주는데 써라.

명언 한마디

* 누구라도 모든 길을 갈 수는 없다. 성공은 한 분야에서 얻어야 하며, 우리에게 있어 직업은 유일한 인생의 목표로 삼아야 한다. 따라서 다른 모든 것은 이것에 종속되어야 한다. 나는 일을 어중간하게 하는 것을 싫어한다. 그것이 옳으면 대담하게 해라. 그것이 그르면 하지 말고 버려라. 이상을 가지고 산다는 것은 성공적인 삶이다. 사람을 강하게 만드는 것은 사람이 하는 일이 아니라, 하고자 노력하는 것이다.

어니스트 헤밍웨이

어니스트 헤밍웨이: 미국의 소설가. 노벨문학상 수상(노인과 바다). 인간의 비극적 모습을 간결한 문체로 힘차게 묘사함. 주요 작품 「노인과 바다」「누구를 위하여 종은 울리나」「무기여 잘 있거라」

네 멋대로 세상을 재단하지 마라

네가 보낸 편지는 잘 받아 보았다. 너는 로마 카톨릭교회의 이상한 이야기와 맹목적인 신도들을 보고 당황했을 것이다. 그렇지만 아무리 생각이 다르다고 해도 본인들이 진실로 믿고 있다면 비웃거나 이상해 할 필요가 없다.

무슨 일이든 사물의 이치를 분별하지 못하면 불쌍하다. 그러나 비웃음을 살 만한 일이나 비판받을 만한 일을 해서 그렇게 된 것이 아니라면 그들을 따뜻한 마음으로 대해라. 그리고 가능하다면 서로의 대화를 통해 올바른 방향으로 이끌어 갈 마음가짐이 필요하다. 이것을 결코 비웃거나 비판해서는 안 된다.

사람은 누구나 자신의 생각에 따라 행동하는 법이다. 또 그렇게 해야만 한다. 다른 사람의 생각이 자신의 생각과 일치해야 한다고 믿는 것은 그들의 체형과 체질이 자신의 것과 일치해야 된다는 억지스런 생각일 뿐 아주 교만한 짓이다.

항상 사람은 각자 자신이 옳다고 생각을 하면서 살아간다.

그러나 누가 옳은가를 판단하는 것은 오직 신뿐이다. 그러니 남의 종교를 박해하는 것이야말로 정말이지 우습고도 어처구니 없는 일이다.

사람이란 자신이 생각하는 만큼 생각할 수도 없으며 믿는 만큼 더 이상은 믿을 수도 없는 존재이다. 비난을 받아야 할 사람은 고의적으로 거짓말을 한 사람, 이야기를 꾸미고 사실을 왜곡한 사람이다. 그것을 믿는 사람이 결코 아니다.

***

당당한 마음가짐으로 살아라

세상에서 거짓말만큼이나 천박하면서도 어리석은 일은 없다. 거짓말을 하는 것은 적대감과 비겁함 그리고 허영심 그 자체이다. 그러니 어느 경우든 자기가 목적한 바를 달성하기 어렵다. 왜냐하면 전혀 알아차릴 수 없을 만큼 감쪽같이 속였다고 해도 거짓말은 머지않아 들통이 나기 때문이다.

가령 자기보다 잘된 사람이거나 잘난 사람을 공공연히 미워하고 싫어해 거짓 소문을 퍼뜨렸다. 그것이 얼마 동안은 그 상대방에게 치명적인 상처를 입힐 수도 있다. 그러나 결국 고통을 받는 것은 자기 자신뿐 대개는 들통나게 마련이다. 또한 거짓말이 탄로났을 땐 크나 큰 상처를 입게 된다. 한 번 그런 일을 꾸미고 나면 설령 그 비방이 사실이라고 해도 중상모략으로 밖에 들리지 않는 법이다. 그러니 인생에 있어서 이것보다 더 큰 손실은 없다.

자신을 위해 변명을 일삼는다거나 명예 훼손이 염려스러워 거짓말을 하게 된다면 오히려 시간이 흐를수록 곤경에 처하게 된다.

변명과 거짓말은 다를 바가 없다. 그런 사람은 자기가 가장 천박하고 비열한 사람이라는 것을 스스로 입증하는 꼴이 된다. 또한 주위 사람들이 그런 눈으로 본다 해도 어쩔 수가 없다. 어쩌다가 잘못을 저질렀을 경우에는 거짓말로 그것을 숨기기 보다는 솔직히 그 잘못을 시인하는 쪽이 더 당당하다. 그것이 잘못을 뉘우치는 것이며 용서를 구하는 유일한 방법이다. 자기의 잘못이나 실수를 숨기려고 변명을 하거나 거짓으로 얼버무리는 짓은 보기에도 좋지 않다. 게다가 그 사람이 무엇을 겁내고 있는지 자연히 드러나기 때문에 그런 짓이 뜻을 이루는 경우는 드물고 성공도 못한다.

양심이나 명예를 지키면서 사회를 당당하게 살아가려면 거짓말로 남을 속이지 마라. 그렇게 사는 것이 사람으로서의 도리이며 자신한테도 이롭다. 너도 알고 있겠지만 어리석은 사람일수록 곧잘 거짓말을 하는 법이다. 그러므로 나는 거짓말에 따라 그 사람의 지능이 어느 정도인지를 파악할 수 있다.

'사회' 라는 큰 미로의 출발점에서

사람의 사회적 성격과 태도에 관하여 알아보자. 이러한 일들은 어느 정도 나이가 들어서도 생각해 볼 만한 가치가 있다. 특히 네 나이 때에는 터득하기 힘든 지식이다. 나는 전부터 젊은이들에게 이러한 인생의 지혜를 가르치고자 하는 사람은 좀처럼 볼 수 없었다. 이상하게도 모두가 자기의 역할이 아니라고 생각해서일까?

학교의 선생님이나 교수님도 마찬가지이다. 언어나 자기의 전문 분야를 약간 가르칠 뿐이지 그 밖의 것은 전혀 가르치지 않는다. 아니 가르치지 않는다기보다는 가르칠 능력이 없다고 해야 옳다. 그것은 부모도 마찬가지이다. 부모도 가르칠 능력이 없어서 그런 것인지 바쁜 생활에 쫓겨서 그런 것인지 아무튼 가르치려고 하지 않는다. 그중에는 자식을 사회로 내보내는 것이야말로 가장 좋은 공부라 믿는 부모도 있다. 이런 태도가 경우에 따라서는 옳다고 생각한다.

정말이지 세상일이란 이론만으로는 알 수 없다. 왜냐하면 사회에 뛰어들지 않고서는 그 실제를 모르기 때문이다. 그러니 젊은이가 미로 투성이의 세상으로 발을 내딛기 전에 그곳에 발을 디딘 적이 있는 경험자가 간략한 지침서라도 남겨 줄 정도의 일은 해야 된다고 나는 생각한다.

명언 한마디

* 하루를 태만하게 보내지 마라. 운명은 장난을 좋아해 모든 일을 우연인 것처럼 보이게 한다. 그러다 갑자기 우리를 급습한다. 우리는 늘 머리·기지·용기를 가지고 언제 닥칠지 모를 운명의 습격에 대비해야 한다.

미모도 마찬가지다. 걱정없이 무심코 있는 어느 날 미모는 추락하고 만다. 의도적으로 교활한 적은 상대방의 완벽함조차 그것이 부주의할 때 기필코 시험하려 든다.

화려한 축제의 날은 누구나 알고 있다. 그래서 운명의 농간은 이날을 지나친다. 그러나 가장 준비가 안 되어 있는 날을 택해 갑자기 우리를 시험대 위에 올려놓는다.

발타자르 그라시안

발타자르 그라시안: 17세기 스페인 예수회 사제로 있으면서 학자·저술가로 활동했다. 신학교 교수 역임. 국왕의 고문. 주요 작품「세상을 보는 지혜」

***

정당하게 평가받는 것과 받지 못하는 것은 분명 다르다

아무리 훌륭한 사람이라도 상대방에게 존경할 마음을 갖게 하려면 경의를 표할 만한 실제적인 태도 즉, 위엄이 있어야 한다.

모든 일에 끼여들어 수다를 떨거나 괜스레 실실 웃고 잘 지꺼린다. 종종 큰소리로 호들갑스럽게 굴거나 지나친 친절은 위엄이 있는 태도가 아니다. 이런 태도에 아무리 지식을 많이 쌓고 인격을 갖춘다 한들 존경을 받기는커녕 오히려 사람들로부터 무시를 당하게 된다. 따라서 이런 사람이 존경을 받는 경우는 거의 없다.

감정을 절제할 줄 모르고 지나치게 친절한 것 또한 윗사람의 비위를 거슬리게 한다. 행여 그렇지 않더라도 주위 사람들로부터 '아첨꾼'이라든가 '꼭두각시'라는 빈정거림을 사게 된다. 그리고 신분이나 지위가 낮은 사람에게 지나칠 정도의 친절을 베풀면 상대방은 자기의 위치를 망각하고 우쭐한 나머지 가볍게 대하려 한다. 이런 경우야말로 입장이 난처해지는데 농담 역시도 마찬가지이다. 늘 농담만 하는 사람은 우스꽝스러운 어릿광대와 조금도 다를 바가 없으며 순간적으로 기지를 발휘하는 것과는 전혀 차원이 다르다. 결국 자기 본래의 성격이나 태도가 아닌 다른 모습으로 상대방에게 호감을 사서 인기를 얻으려 하는 사람은 절대로 존경받지 못한다. 그저 이용만 당할 뿐이다.

우리들은 곧잘 이런 말을 한다. 저 사람은 노래도 잘하니까 우리 팀에 끼워 주자느니, 춤을 잘 추니까 댄스 파티에 초대하자느니, 언제나 농담을 잘하고 재미있으니까 만찬에 초대하자느니, 혹은 저 사람을 부르지 말자 어떤 놀이든 끝장을 보니까, 곧잘 술에 취해 버리니까 등등. 혹시 이런 말을 듣는 쪽은 좋아할 일이 아니다. 그것은 칭찬이 아니라 오히려 놀리는 것에 가깝다. 구태여 말하자면 자신이 선택을 당해 놓고서도 바보 취급을 받는 꼴인데, 적어도 정당한 평가나 인정을 받고 있는 것은 아니다. 한 가지 재주를 가지고 있다는 이유만으로 단체에 받아들여진 사람은 그 재주 이외에 다른 존재 가치를 평가받거나 인정받지 못한다. 그들은 다른 방면으로 눈을 돌려 평가하는 일도 없고 아무리 잘하는 것이 있어도 그것에 별로 관심을 보이지 않는다.

명언 한마디

* 정중함도 예가 지나치면 고통이 되고, 신중함도 예가 지나치면 비겁함이 된다. 용맹함에 예가 없으면 난폭해지고, 정직함에 예가 없으면 잔혹해진다.

공자(춘추 시대의 사상가)

공자: 인(仁)을 중심으로 장례(葬禮)·효(孝)의 실천을 덕목으로 삼았음.

***

어떤 상황에서도 '위엄있는' 태도를 취해라

그러면 어떤 것이 위엄있는 태도일까? 위엄있는 태도란 거만한 태도와는 사뭇 다르다. 그러므로 정반대되는 것이라고 말하는 편이 옳다. 거만한 행동은 용기가 아니며 이것은 농담이 기지가 아닌 것과 똑같은 것이다. 거만한 태도만큼 품위를 떨어뜨리는 일은 없다. 거만하게 굴거나 잘난 체를 하면 분노를 사는 것은 물론 그 이상의 비웃음과 업신여김을 당한다.

거만한 사람은 마치 물건에 터무니없이 비싼 값을 매겨 팔려고 하는 장사꾼과 같다. 그런 장사꾼에게는 사람들도 터무니없이 값을 깎으려 한다. 그러나 적정하게 값을 매겨 팔려고 하는 상인에게는 어느 누구도 터무니없이 값을 깎으려 하지 않는다.

위엄있는 태도란 무턱대고 남에게 알랑거리며 비위를 맞춘다거나 잘 보이려는 것과는 거리가 멀다. 그리고 어떤 일이든 따르지 않는 것도 시끄럽게 논쟁을 하는 것도 아니다. 자기의 의견을 겸손하면서도 분명하게 말하고 다른 사람의 말도 진지하게 들어주는 것이 위엄있는 태도이다.

위엄은 외모로 나타날 수도 있다. 얼굴 표정이나 행동에 있어서 진지한 분위기를 풍기면 위엄이 있어 보인다. 물론 활발한 행동과 기지를 더하는 것도 좋다. 그런 것들은 원래 위엄을 느끼게 하는 법이다. 이와는 반대로 실없이 웃거나 침착성이 없는 행동은 생각 이상으로 천박한 느낌을 갖게 한다. 외모에서 위엄이 드러난다고 해도 늘 무시만 당하고 살았던 사람이 어떤 일에 무작정 나선들 용기가 있어 보이는 것은 아니다. 이와 마찬가지로 올바르지 못한 사람은 위엄이 없다. 혹시 그런 사람이 몸가짐이나 행동이 당당하고 예의가 바르다면 조금은 나아 보인다. 그 밖에도 하고 싶은 말은 많지만 줄이고 그 대신에 키케로(고대 로마의 웅변가 · 정치가 · 철학자 · 문인. 주요 저서 「카틸리나 탄핵」「국가론」「의무론」「우정에 관하여」)의 의무나 예의에 관련된 책들을 잘 읽어 보기 바란다.

이와 관련된 책들은 위엄을 갖추는 법에 대해 아주 상세히 기록되어 있으므로 가능하다면 암기할 정도로 열심히 읽어라. 이것이 너에게는 큰 도움이 될 것이다.

명언 한마디

* 너는 네가 이마에 흘린 땀으로 너의 빵을 얻지 않으면 안 된다.

톨스토이

톨스토이: 남러시아 툴라 인근의 야스나야 폴랴나에서 태어남. 표도르 도스토옙스키와 함께 19세기 러시아의 대문호. 주요 작품 장편 소설 「전쟁과 평화」「안나 카레니나」 중편 소설 「이반 일리치의 죽음」「바보 이반」

3장

최고의 인생을 살려면 하루하루를 충실히 해라

공부를 하거나 놀 때에도 최선의 노력이 필요하다

오늘 1분을 우습게 여기는 사람은 내일 1초에 운다

돈이나 재물을 지혜롭게 쓸 줄 아는 사람은 드문데 그 보다 시간을 지혜롭게 쓸 줄 아는 사람은 더욱 드물다. 그렇기 때문에 돈이나 재물보다는 시간을 더 가치 있게 써야 한다는 것은 두말할 필요도 없다. 나는 네가 이 두 가지를 지혜롭게 쓸 줄 아는 사람이 되었으면 한다. 너도 또한 그런 것을 생각할 나이이다.

젊은 날에는 시간이 남아돌아 아무리 써도 없어지지 않는 것쯤으로 착각하기 쉽다. 그러나 시간을 허비하는 것은 막대한 재산을 탕진하는 것과 같다. 그러니 잘못을 뒤늦게 깨닫고 후회해 봤자 누구라도 그 시간을 되돌릴 수는 없다.

윌리엄 3세, 앤 여왕, 조지 1세 시대에 이르기까지 명성을 떨쳤던 라운즈 재무 장관은 곧잘 이렇게 말을 했다.

"1펜스를 우습게 알면 안 된다. 1펜스를 우습게 아는 사람은 1펜스에 운다."

이 말은 진실이다. 라운즈 장관은 몸소 이런 철칙을 실천하여 자손들에게 막대한 유산을 물려주었다. 그의 말은 시간에도 적용되는 것이 아닐까?

오늘 1분을 우습게 아는 사람은 그 1분에 울게 된다. 그러니 일이십 분이라고 해도 대충대충 보내지 마라. 기껏 1분이나 15분이라고 해서 대충대충 보내면 하루에도 수차 시간을 허비하는 것과 같다. 그것이 1년 동안 지속적으로 쌓이면 결코 적은 시간이 아니고 엄청난 시간이 된다.

***

'짜투리 시간'을 '헛된 시간'으로 만들지 마라

이를테면 12시에 누군가와 만나기로 했다. 그 이전 너는 11시에 집을 나와서 두세 사람의 집을 방문할 생각이다. 그러나 그들 가운데 누군가가 집에 없었다. 이때 너는 어떻게 할 것인가. 카페라도 가서 하릴없이 시간을 보내겠는가, 그건 아니다. 나 같으면 일단 책을 읽거나 친구에게 편지를 쓰겠다. 편지를 다 쓰고 나서도 시간이 남는다면 책이라도 읽겠다.

시간이 별로 없을 때에는 데카르트(프랑스의 철학지 · 수학자 · 물리학자)나, 말브랑슈(프랑스의 철학자 · 수도사. 신앙의 진리와 이성적 진리의 조화를 위해 아우구스티누스의 신학과 데카르트의 철학을 적절히 하나로 합침)나, 로크(영국의 철학자 · 정치 사상가)나, 뉴턴의 저서 등과 같이 이해하기 어려운 책은 적당치 않다. 오히려 호라티우스(고대 로마의 시인. 대표작 「서정시집」「시론」)나, 부알로(프랑스의 시인 · 비평가, 몰리에르, 라 퐁텐, 라신 등의 대변자가 되어 문학의 이론 집대성)의 저서 같은 짧고도 지적이며 재미있는 것이 좋다. 이렇게 자투리 시간을 효과적으로 쓰면 그만큼 시간을 아낄 수 있고 또한 어떻게 하느냐에 따라서 어중간한 시간도 얼마든지 유익하게 쓸 수 있다.

세상에는 정말 쓸데없는 생각으로 시간을 보내는 사람들이 많다. 그들은 의자에 비스듬이 기대앉아 하품과 함께 "뭘 시작하기에는 좀 시간이 모자란데 어떻게 하지"라고 말을 한다. 그러나 이런 사람들은 막상 충분한 시간이 있어도 결국에는 빈둥거리며 시간만 보내기 일쑤이다. 정말 딱한 노릇이다. 아마 이런 사람들은 공부를 하거나 일을 하더라도 성공은 물론 마음껏 놀지도 못한다 .

네 나이 때에는 세월을 헛되이 보낸다는 것 자체가 용납되지 않는다. 그것은 내 나이쯤이라면 모를까, 너는 이제 곧 사회에 첫발을 내딛게 되었을 뿐이다. 젊은이는 무엇보다 역동성과 끈기가 있어야 한다.

앞으로 몇 년이 네 인생에 있어서 얼마나 큰 의미가 있는지를 깊이 생각해 보아라. 그러면 한 순간이라도 대충대충 지낼 수 없다. 그렇다고 하루 종일 책상 앞에만 있으라는 것은 아니다. 그렇게 하라고 권할 생각도 없고 그렇게 해주기를 바란 적도 없다. 다만 공부든 일이든 무엇인가를 열심히 하고 있다는 사실이 중요하다. 겨우 이삼십 분이니까라고 생각하여 짧은 시간을 하찮게 여기면 1년 뒤에는 엄청난 시간의 손실을 보게 된다.

이를테면 하루 일과 중에는 공부하는 시간과 노는 시간의 사이사이에 짜투리 시간이 몇 번이고 있다. 그럴 때에는 멍청하게 하품이나 하고 있으면 안 된다. 무슨 책이든 좋으니까 손에 닿는 대로 읽어 두면 도움이 된다. 어쨌든 아무 생각 없이 있을 바에야 가볍게 읽을 수 있는 콩트집이라도 보는 편이 훨씬 유익하다.

명언 한마디

* 세상에는 위대한 인물의 조건을 완벽하게 갖추고 태어난 사람은 없다. 위대한 인물은 주로 자신의 근면으로 인해 이루어진다.

특별하게 능력이 없는 사람일지라도 무슨 일이든 정성을 다해 노력하면 조금씩 성취감을 맛볼 수 있다.

이런 발전은 시계의 시침과 같아서 한 번 움직일 때마다 한 시간씩 가지만, 아주 조금씩 앞으로 나가기 때문에 눈에 띄지 않을 뿐이다.

조슈아 레이놀즈

***

'짜투리 시간'을 최대한 잘 활용해라

내가 아는 사람 중에는 시간을 활용하는 방법이 아주 지혜로워서 짜투리 시간조차도 헛되이 보내질 않는다.

좀은 깔끔치 못한 이야기라 미안하다. 그 사람은 화장실에서 볼일을 보는 동안의 시간까지도 십분 활용하여 대부분 고대 로마 시인의 작품을 다 읽었다. 예를 들어 호라티우스를 읽고 싶다고 치자, 그는 문고판으로 된 호라티우스의 시집을 사 온다. 그런 다음 그것을 화장실에 갈 적마다 두 쪽씩 찢어서 읽고 다 읽어 버린 종이는 크로노스(그리스 신화에 나오는 시간의 신)에게 예물로 바친다. 그는 이처럼 시간을 알뜰하게 써서 책을 한 권 한 권 읽어나갔다. 너도 한 번 시도해 보아라. 이런 방식은 화장실에서 딱히 하릴없이 무료하게 앉아 시간을 보내는 것보다 훨씬 낫다. 게다가 이렇게 하면 책의 내용이 오래도록 머리에 남는다.

물론 어떤 책이든 다 좋다는 것은 아니다. 이해하기 힘든 과학책이라든가 내용이 어려운 책은 적당치 않다. 그러한 책 대신에 몇 쪽을 찢어서 읽어도 충분히 이해가 되고 또한 도움이 되는 책들을 골라서 읽으면 된다. 짜투리 시간이라도 이렇게 효과적으로 쓰면 얼마나 큰 도움이 되는가를 알게 되는데, 짜투리 시간이라고 무심코 허비해 버리면 끝내 지나간 시간을 되돌릴 수 없다. 그러니까 순간순간을 의미 있게 보내야 한다. 너도 뭔가 유익하고 즐겁게 보낼 수 있는 방법을 찾아보아라.

시간의 활용성은 공부에만 한정된 것이 아니라 놀 때에도 적용된다는 것을 말한 적이 있다. 사람은 놀이를 통해서 성장한다. 또한 제 역할을 다하게 된다. 잘난 체하는 것이나 가식을 벗어 던질 수 있는 것도 놀이이다. 그러므로 놀이 중에 빈둥빈둥하면 안 된다. 놀 때에는 노는 데만 정신을 집중하는 것이 좋다.

***

현명한 사람은 순서를 정해 놓고 일을 한다

대부분의 사람들은 업무 처리에 있어서 탁월한 능력과 특수한 재능만이 그 처리를 가능하게 할 것이라고 단정한다. 그러나 반드시 그런 것만은 아니다. 일에 대한 체계적인 순서, 부지런함과 분별력만 있다면 재능은 있으되 체계가 없는 사람들보다 훨씬 더 업무를 잘 처리할 수 있다.

너도 사회인으로 첫발을 내디딘 만큼 한시라도 빨리 모든 일을 체계적으로 처리해 나가는 습관을 길러라. 순서를 정하고 그것에 따라 일을 처리하는 것만이 효과적인 일 처리의 비결이다. 항상 글을 쓸 때에도, 책을 읽을 때에도, 공부를 할 때에도, 순서를 정해 놓고 진행해라. 그러면 네가 예상한 것 이상으로 시간이 절약되고 능률적이다.

말버러(말버러는 존 처칠의 작위. 영국의 장군. 프랑스 루이 14세의 군대와

싸워 승리를 거듭했으나 정치적인 모함으로 지위를 잃은 뒤 유럽 대륙으로 망명) 공작의 지난 일을 생각해 봐라. 그분은 단 1초도 헛되게 쓰지 않았다. 덕분에 똑같이 주어진 시간 내에 보통 사람의 몇 배나 되는 일을 처리했다. 또한 로버트 월폴(영국의 정치가. 휘그당의 당수. 내각 책임제를 확립했으며 영국의 초대 총리로 간주됨) 전 총리도 보통 사람의 열 배나 되는 일을 처리했는데 결코 허둥대지 않았다. 그것은 정해진 순서대로 업무를 처리했기 때문이다.

그러나 뉴캐슬(영국의 장군. 왕당파의 사령관으로서 요크를 탈환하고 뉴캐슬을 점령했으나 전쟁에 패하자 유럽 대륙으로 망명) 공작은 그렇지 못했다. 성급하고도 산만한 태도와 갈피를 못잡는 태도가 문제였다. 업무도 이와 마찬가지로 뒤죽박죽 해왔기 때문에 효율적인 업무 처리가 불가능했다. 그런 악습은 패전으로 이어져 결국에는 망명길에 오르는 신세가 되었다. 어쨌든 제아무리 재능이 뛰어난 사람일지라도 순서 없이 일을 하면 머리가 혼란스러워 중도에 포기하기 쉽다.

내가 볼 때 너는 일에 있어서 조금은 순서가 없는 편이다. 지금부터라도 분발해 주기 바란다. 자기 관리를 통해 2주일 동안만이라도 좋으니 일을 하는 방법과 순서를 정해 놓고 연습해 봐라. 그렇게 하면 미리 정해 놓은 순서대로 일을 하는 것이 얼마나 효율적이고도 좋은 결과가 있는지를 깨닫게 될 것이다.

주관을 가지고 마음껏 놀아라

놀이와 오락은 대부분의 젊은이들이 한 번쯤 부딪치게 되는 암초와 같다. 돛단배를 타고 바람이 부는 대로 즐거움을 찾아 항구를 떠날 때에는 좋았다. 정신을 차려 보니 방향을 확인할 만한 나침반도 없고 목적지를 향해 키를 조절할 수 있는 지식도 없다. 결국 목적지인 진정한 즐거움에 다다르지도 못하고 명예롭지 못한 상처를 입은 채 떠났던 항구로 힘겹게 되돌아오는 것이 전부이다.

이렇게 말하면 오해를 살 만한 일이겠지만 나는 금욕주의자처럼 쾌락을 멀리하라는 것도 아니며 목사의 설교처럼 쾌락에 빠지지 말라는 것도 아니다. 오히려 나는 쾌락주의자에 가까워서 여러 가지 놀이를 가르쳐 주고 그것에 대하여 마음껏 즐길 것을 권하면 권했지 전혀 말릴 생각은 없다. 이건 진심이다. 다만 너에게 올바른 항로를 일러주고 싶을 뿐이다. 너는 어떤 즐거움을 찾고 있는지 궁금하다. 마음에 맞는 친구와 잔돈 내기를 하는 카드놀이에, 아니면 품위 있는 사람들과 함께 식사를, 아니면 지식이 풍부한 사람들과 친분을 맺기 위해, 이 아버지를 친구로 생각하고 무엇이든 솔직하게 말해 주기 바란다. 나는 너의 즐거움을 시시콜콜 간섭하거나 방해할 생각은 조금도 없다. 오히려 놀이에 대한 인생의 선배로서 안내자 역할을 하고 싶을 뿐이다.

***

언제나 놀이에는 탈선하기 쉬운 함정이 있다

젊은이는 자칫 자기가 좋아하는 것과 상관없이 즉흥적이고도 소모적인 즐거움만을 찾기 쉽다. 또한 극단적으로 무절제한 것이 진정한 놀이라고 착각해 버린다. 혹시 너도 그럴런지 모르겠다. 예를 들어 술은 확실히 정신과 건강을 해치지만 노는 데에 있어서 꼭 필요한 것쯤으로 여기고 있는 것은 아닌지, 도박은 계속해서 잃으면 무일푼이 되고 그렇게 되면 패가 망신하는데 이것을 무척 재미있는 놀이쯤로 여기고 있는 것은 아닌지, 섹스도 최악의 경우에는 건강을 해치지만 온몸이 망가지는 일 따위는 없을 것처럼 여기고 있는 것은 아닌지, 너도 알고 있겠지만 이런 것들은 모두 가치가 없는 놀이이다. 그런데 이 가치도 없는 놀이가 많은 젊은이들의 마음을 유혹하고 있다. 그들은 진지하게 생각해 보지도 않고 남들이 하고 있는 그대로를 여과없이 받아들인다. 너처럼 젊을 때에는 오락에 빠지는 것이 지극히 자연스럽다. 또한 노는 모습이 가장 잘 어울리는 것도 사실이다. 그러나 젊다는 이유만으로 오락의 대상을 잘못 선택하거나 그릇된 방향으로 무작정 뛰어들까 걱정이다. 요즘 젊은이들 사이에서는 잘 노는 한량이 인기가 많은 것 같다. 과연 그들은 인생의 종착역을 알고나 있으면서 그렇게도 무절제한 생활을 되풀이하는 것인가.

옛날에 어떤 젊이가 멋진 한량이 되어 보려고 몰리에르(프랑스의 희극 작가 · 배우. 사람을 모랄리스트적으로 고찰한 함축성 있는 희극을 발표. 「스가나레르」「남편 학교」「인간 혐오자」 등의 작품이 있음) 원작 「몰락한 방탕자」라는 번역극을 보러 갔다. 그 젊은이는 주인공의 방탕한 생활을 보고 감탄한 나머지 자기도 '몰락한 방탕자' 가 되기로 결심했다. 그러자 친구들이 그를 딱하게 여겨 "몰락은 하지 말고 방탕만 하는 것이 어때" 라고 설득했다. 하지만 그는 아주 자랑스런 투로 이렇게 말을 했다고 한다. "무슨 소리야 '방탕'하는 것만으로는 만족할 수 없어, 몰락해야만 완전한 방탕자지." 정말로 어처구니가 없는 생각이라 하겠지만 실제로 이런 젊은이들이 의외로 많다. 무작정 화려한 유혹에 빠져 들기 때문에 자신을 돌볼 여유조차도 없다. 그러다가 결국에는 이러지도 저러지도 못하고 몰락해 버린다.

***

놀이에도 목적을 가져라

구태여 말하고 싶지는 않지만 부끄러운 나의 체험담을 털어놓겠다.

역시 나도 예외는 아니어서 내 자신이 좋아하는 것과 상관없이 '놀기 좋아하는 한량'으로 보이기를 바랐던 사람 중 하나였다. 그런 내가 어리석게도 '놀기 좋아하는 한량'처럼 보이기 위해 본래 좋아하지도 않았던 술을 엉망진창으로 마셨다. 그리고 다음날 깨지 않은 술기운으로 또다시 마시는 악순환을 오래도록 되풀이했다.

도박도 마찬가지이다. 비교적 생활은 넉넉했기 때문에 돈을 따기 위해 내기를 한 적은 한 번도 없다. 그러나 역시 '도박을 한다'는 것이 멋있는 신사의 필수 조건인 양 착각했었다. 그래서 도박에 뛰어들었는데 원래 좋아하는 것은 아니었다. 나쁘다는 것을 알면서도 인생에 있어 가장 충실해야 할 30대에 도박을 한답시고 질질 끌려다녔다. 그러는 동안 진정한 인생의 즐거움을 만끽하지도 못했다. 비록 그것이 짧은 생각이었다 하더라도 동경하는 사람의 모습이나 행동만을 보고 형식적인 겉멋만을 추구했다. 여기서 나는 당당하지 못했다는 것을 느꼈고 무섭다는 생각이 든 이후로 어리석은 행위를 즉시 중단해 버렸다.

내가 일종의 유행병 같은 것에 깊이 빠져서 즐기고 형식적인 놀이에 뛰어든 대가로써 참된 즐거움을 잃게 된 것은 너무나도 당연한 일이다. 재산이 줄어들고 건강도 나빠졌다. 나는 이것이 전부 하늘이 내린 벌이라고 생각한다.

어리석게도 내가 체험한 것에 대하여 너는 무엇을 느끼게 될까. 너만큼은 즐거움이 어떤 것인지를 잘 알아 생활하기를 진심으로 바란다. 그리고 어떤 놀이든 무작정 빠져 들지 마라. 남들이 그렇게 한다고 해서 너도 그렇게 할 필요는 없다. 나는 나일 뿐이라고 생각하면 된다.

우선은 네가 즐기고 있는 놀이가 어떤 것인지 일일이 생각해 봐라. 놀이를 그냥 그대로 지속하면 어떻게 될 것인지 그리고 나서 그 놀이를 계속해야 할 것인지 아니면 그만두어야 할 것인지는 너의 현명한 판단에 맡길 수 뿐이 없다.

***

가식적인 즐거움과 진정한 즐거움을 구분해라

만약 내가 지금 네 나이로 다시 돌아갈 수만 있다면 어떤 일을 우선 할까? 무엇보다도 겉으로만 재미있게 보이는 것이 아니라 진정으로 즐길 수 있는 놀이를 하겠다. 그중에는 친구들과 어울려 식사를 하거나 술을 마시는 경우도 물론 있겠지만 너무 많이 먹거나 너무 많이 마셔서 몸을 괴롭게 하는 일은 최대한 절제하겠다.

스무 살 무렵에는 다른 사람의 눈치를 보면서 걸을 필요는 없다. 의식적으로 자기의 방식을 남에게 강요하거나 상대방을 비난해서 미움을 살 필요도 없다. 남은 어디까지나 남이며 그가 좋은 대로 내버려두면 된다. 하지만 상대방의 건강에 관해서 만큼은 철저히 챙겨야 한다. 그렇다고 해도 자신의 건강을 돌보지 않는 사람은 어쩔 수가 없다.

카드 놀이도 한 번 해보자. 고통을 받기 위해서가 아니라 한때의 즐거움을 위해서라면 주머닛돈을 걸고 서로 다른 부류의 친구들과 어울려 사회성을 기르는 것도 좋다. 다만 내기에 거는 돈만큼은 신중히 하고 또한 승패를 떠나 생활에 지장을 주지 않을 정도로 하는 것이 바람직하다. 물론 카드 놀이에 빠져서 이성을 잃거나 싸움질을 하는 경우도 있겠지만 절대로 금물이다.

책도 많이 읽어 보자. 또한 사려 깊고 교양이 있는 사람들과 대화도 나눠 보자. 가능하다면 너보다 나은 사람이 좋다. 남녀를 떠나 다양한 사람들과 자주 어울리자. 대화의 수준은 좀 떨어지겠지만 함께 있으면 순수한 기분이 들고 기운도 난다. 그러면 사람에 대한 태도 등 여러 가지 배울 점이 있다.

내가 다시 너처럼 젊은 시절로 되돌아갈 수만 있다면 앞에서 말한 것과 같이 여러 가지를 멋지게 즐기고 싶다. 어느것이나 진정 해볼 만한 것이라고 생각이 되지 않느냐? 게다가 이러한 것들이야말로 진정한 놀이라고 생각한다. 진정한 놀이의 즐거움을 아는 사람은 향락에 빠지지도 않을 뿐더러 몸을 망치지도 않는다. 그러나 그렇지 못한 사람들이 향락을 진정한 즐거움으로 착각한다.

예컨대 양식이 있는 사람이라면 과연 걷지도 못하는 만취 상태의 주정뱅이를 친구로 삼으려 할까? 감당하지도 못할 만큼의 거액을 카드 놀이로 잃고 난 후, 심할 정도로 욕설을 퍼붓는 자에게 친절을 베풀고 싶을까? 방탕한 생활로 성병에 걸린 자와 가까이 지내고 싶을까? 그럴 사람은 아무도 없다. 방탕한 생활에 제 정신을 빼앗기고 더구나 그것을 자랑스럽게 여기는 자를 누구든 양식이 있다면 인정하지 않는다. 설령 받아들인다 해도 기분이 좋을 리가 없다. 정말로 놀 줄 아는 사람은 품위를 잃는 법이 없다. 적어도 악을 본받는다든지 악을 저지르지는 않는다. 만일 부도덕한 짓을 할지라도 남이 모르게 하고 일부러 악한 짓을 자랑스럽게 생각하지도 않는다.

명언 한마디

* 그대는 인생을 사랑하는가? 그렇다면 시간을 낭비하지 말라. 왜냐하면 시간은 인생을 구성한 재료니까. 똑같이 출발하였는데, 세월이 지난 뒤에 보면 어떤 사람은 잘 나가고 어떤 사람은 낙오자가 되어 있다. 이 두 사람의 거리는 좀처럼 접근할 수 없는 것이 되어 버린다. 이것은 하루하루 주어진 시간을 잘 이용했느냐 이용하지 않고 허송 세월을 보냈느냐에 달려 있다.

벤자민 프랭클린

벤자민 프랭클린: 미국 보스턴의 가난한 가정에서 태어남. 필라델피아에서 인쇄소 경영(신문 발행). 80세에 펜실베이니아 주지사 당선.

훌륭한 사람은 놀이를 목표로 삼지 않는다

노는 것은 아주 바람직한 일이다. 자기의 능력에 맞는 놀이를 찾아내어 마음껏 즐겨야 한다. 그러나 남의 흉내만을 내서는 안 된다.

무엇이 참으로 즐거운 일인가를 한 번쯤은 가슴에 손을 얹고 생각해 볼 일이다. 곧잘 아무것에나 손을 대는 사람들이 있는데 그런 사람들은 그 어떤 즐거움도 느낄 수 없다. 진지한 자세로 일에 몰두하여 즐거움을 느낄 수 있는 사람만이 놀이에서도 즐거움을 느낄 수 있다.

그런 의미에서 고대 아테네의 장군 알키비아데스(소크라테스의 제자. 아테네의 장군, 정치가.)가 바로 그런 사람이다. 그는 분명히 뻔뻔스러울 정도의 방탕한 짓을 많이 했지만 일을 하거나 철학을 할 때에는 누구 못지 않게 시간을 할애했다. 율리우스 시저 또한 일과 놀이를 통하여 활기 넘치는 인생을 살았다. 실제로 로마에 사는 수많은 여성들이 불륜의 대상이었다고 할 만큼 사생활이 복잡했지만 훌륭하게 학자로서의 명성을 쌓았다. 또한 웅변가로서도 최고였을 뿐만 아니라 로마 제일의 지도자라는 평도 받았다. 하루하루 열심히 땀을 흘린 사람만이 정신적으로나 육체적으로 놀이를 만끽할 수 있다.

비만인 대식가나, 늘 술에 절어 얼굴이 창백한 주정뱅이나, 안색이 좋지 않은 호색꾼이나, 진정으로 자기가 하고 있는 것을 즐기지 못한다. 그런 사람들은 지나친 탐닉의 세계로 빠져서 자신의 정신과 육체를 학대하는 것과 같다.

대부분 지적 수준이 낮은 사람들은 오직 쾌락만을 쫓다 건강을 해치는 경우가 많다. 그와 반대로 지적 수준이 높은 사람들은 좋은 친구들과 함께 어울려서 보다 자연스럽고 유익한 놀이, 즉 우아하고 고상한 것이 아니어도 가령 그것이 도덕적이라고 단정하진 않겠지만 적어도 품위가 있는 놀이를 즐긴다. 생각이 바른 사람들은 놀이를 인생의 목적으로 삼지 않는다. 단지 그들이 놀이라고 생각하는 것은 몸과 마음을 편안하게 하는 것이며 스트레스를 해소하기 위한 것에 지나지 않는다.

***

아침은 책에서 배우고, 저녁은 사람에게서 배워라

일과 놀이는 시간대별로 구분하는 것이 좋다. 공부나 일 그리고 지식인이나 명사와의 대화는 가능한 한 아침 시간이 좋다. 그러나 일단 저녁 식사 이후로는 휴식 시간을 갖는 것이 좋다. 특별히 바쁜 일이 없는 한 네가 좋아하는 것, 즉 마음에 드는 친구들과 가볍게 카드 놀이를 한다거나, 상대방이 예의바른 사람이라면 화기 애애한 분위기 속에서 오락을 하는 것도 좋다. 왜냐하면 실수가 있더라도 그것이 다툼이 되지 않기 때문이다.

연극 관람이나 음악 감상도 얼마든지 좋다. 좋아하는 친구와 춤을 춘다거나 식사를 한다거나 부담없이 즐겁게 대화를 나누는 것 또한 저녁 시간을 만족스럽게 한다. 물론 마음을 진정시키고 매력적인 여자에게 눈짓을 보내는 것도 좋다. 다만 상대가 네 품위를 떨어뜨리거나 더 나가서는 너를 웃음거리로 만드는 여성이 아니기를 바랄 뿐이다. 상대가 너에게 호감을 보이는가 보이지 않는가는 너에게 달려 있으니 기대를 갖는 것도 좋을 듯싶다.

제대로 노는 것을 알아서 분별할 수 있는 사람이라면 내가 말한 방법대로 따라서 해볼 일이다. 이와 같이 해야 할 일은 아침에 하고 놀이는 저녁에 하는 식으로 시간을 정하면 좋다. 놀이의 선택에 있어서도 시간을 효율적으로 활용하면 훗날 훌륭한 사회인으로서 인정을 받게 된다. 정신 집중이 잘되는 아침에는 차분히 공부를 해보자. 저녁에는 친구들과의 교제를 통해 또 다른 지식, 즉 세상에 관한 지식을 얻자. 다시 말하자면 아침에는 책에서 배우고 저녁에는 친구들과 교제를 통해서 배우자. 이것을 충실히 실천하려면 아마 너는 게으를 시간조차도 없을 것이다.

나도 젊었을 때에는 참으로 잘 놀았고 여러 사람들과도 잘 어울렸다. 노는 데 있어 나만큼 열중하고 많은 시간을 투자한 사람은 드물다. 때로는 지나칠 정도로 놀았다. 그러나 어떻게든지 공부하는 시간만큼은 철저하게 지켰다. 도저히 시간이 없을 때에는 잠자는 시간을 줄였고 전날 아무리 늦게 잠을 자더라도 다음날 아침에는 어김없이 일찍 일어났다. 이렇게 공부에 대한 시간을 철저히 지키는 습관은 병이 났을 때를 제외하고 40여 년 동안 쭉 이어져 왔다.

이제 너도 알겠지만 내가 절대로 놀아서는 안 된다고 완고하게 말하는 아버지는 아니다. 나는 너에게 나와 똑같은 인생을 살라고도 하지 않겠다. 다만 이제껏 너에게 말한 것들은 아버지라기보다 친구로서 충고한 것뿐이다.

한 가지 일에만 집중해라

얼마 전 하트 씨로부터 네가 여러 면에서 잘하고 있다는 내용의 편지를 받았다. 나는 얼마나 기뻤는지 모른다. 만일 당사자인 네가 충실하지도 못하고 만족하지도 못한다는 소식을 들었다면 나는 크게 실망했을 것이다. 그것은 만족감이나 자부심이 있어야만 학문에 열중할 수 있기 때문이다.

하트 씨의 말에 의하면 너는 열심히 공부하고 있다지? 공부하는 틀이 잡혀 있고 그렇기 때문에 이해력과 응용력이 향상되었다는 것이다. 여기까지 이르면 그 다음은 공부하기가 한결 수월해진다. 그리고 그 즐거움이란 노력하면 할수록 더 커질 것이다.

늘 너에게 귀가 따갑도록 해온 말이지만 무엇인가 일을 할 때에는 그 일이 어떤 일이든지 오직 그 일에만 집중해야 한다. 그리고 그것 외에는 한눈을 팔아서도 안 된다. 이것은 설령 공부 뿐만 아니라 놀이도 마찬가지이다. 놀이도 공부와 마찬가지로 최선을 다하기 바란다. 놀이도 공부도 열심히 하지 못하는 사람은 그 어느쪽도 발전이 없고 또한 만족도 못한다. 그때그때의 상황에 마음을 집중하지 못하는 사람과 집중하지 않는 사람, 그 밖의 다른 일들을 머리에서 떨쳐 버리지 못하는 사람과 떨쳐 내지 않는 사람, 이런 사람은 제대로 일도 못하고 놀이도 서툴 뿐이다.

파티나 회식 자리에서 누군가가 머리 속으로 유클리드(기하학) 문제를 풀기 위해 고민하고 있는 모습을 상상해 봐라. 그런 사람은 함께 있어도 전혀 즐겁지 않을 것이고, 사람들 사이에서도 유별나고 궁상스럽게 보인다. 또한 서재에서 어떤 문제를 풀려고 오직 한 가지 일에만 매달리고 있는데 갑자기 음악에 관한 생각으로 견딜 수 없는 사람의 경우를 상상해 봐라. 아마도 그런 사람은 훌륭한 학자가 될지 의문이다.

한 번에 한 가지 일만을 집중하면 하루라는 시간을 효율적으로 쓸 수 있고 여러 가지 일도 해결할 수 있다. 그렇지만 한꺼번에 두 가지 일을 하려고 한다면 일 년이란 시간도 모자란다.

법률 고문이었던 드 위트 씨는 국정에 관한 일을 혼자 떠맡아 했음에도 불구하고 그 일을 훌륭하게 처리한 것은 물론 저녁 만찬에도 참석하여 여러 사람들과 식사를 했다. "어느 순간에 그 많은 일을 처리하고 저녁 만찬에 나갈 수 있었습니까? 그렇다면 도대체 어떤 식으로 시간을 활용하고 있습니까?" 드 위트 씨는 이런 질문에 다음과 같이 대답을 했다고 한다. "그건 별로 어려운 일이 아닙니다. 한 번에 한 가지 일만을 하고, 오늘 할 일은 절대 내일로 미루지 않는 것뿐입니다."

다른 일에 쓸데없이 정신을 팔지 않고 오직 한 가지 일에만 집중할 수 있는 드 위트 씨의 능력은 대단하다. 그렇게 일을 할 수 있다는 것 자체가 비범한 것이 아닌가. 다시 말해서 한 번에 한 가지 일에 집중을 못하는 사람은 발전성도 없고 그저 평범할 수 밖에 없다.

***

한 가지 일에 정신을 집중하는 것이 최선의 길이다

하루 종일 바삐 돌아다닌 것 같은데도 막상 돌아보면 별로 한 일이 없다고 사람들은 종종 말을 한다. 이런 사람들은 몇 시간씩 책을 읽어도 눈만 글자를 따라가고 있을 뿐 머리 속은 엉뚱한 곳에 가 있는 경우가 많다. 그러므로 나중에는 무엇을 읽었는지 전혀 모른다.

이런 사람들은 이야기하고 있을 때에도 마찬가지여서 적극적인 대화를 하려 들지 않는다. 상대방에게 관심을 가져야만 할 일도 없고 이야기의 내용을 정확히 파악하는 일도 없다. 그 자리와 전혀 관계가 없거나 쓸데없는 것에 신경을 쓰고 있다. 아니 아무 생각이 없이 앉아 있다. 그러다가 말할 차례가 오면 "아니 깜박했습니다" 또는 "글쎄요, 잠깐 다른 생각을 했습니다"라고 말꼬리를 흐리면서 체면을 유지하려 한다.

이런 사람은 극장에 가서도 가장 중요한 것이 무엇인지 모르고 오직 주변에 있는 사람들과 조명에만 시선을 빼앗긴다.

너는 그런 일이 없도록 해라. 사람과 만나 이야기하고 있을 때에도 공부할 때와 마찬가지로 정신을 집중해야 한다. 이처럼 상대방에게 주의를 기울이는 것이 무엇보다도 중요하다.

어리석은 사람들이 흔히 말하는 것처럼, 정작 자기 앞에서 들은 말이나 일어난 것에 주의를 기울이지 않고 있다가 '딴생각을 하고 있는 바람에 잘 듣지 못했습니다' 라는 변명을 하는데 왜 딴생각을 하고 있었는가. 딴생각을 하려면 무엇 때문에 그 자리에 있는가. 그 자리에 올 필요도 없지 않았는가. 결국 그 사람들은 딴생각을 하고 있는 것이 아니라 머리가 텅 비어 있다. 그런 사람들은 놀 때나 일할 때에도 집중하지 못한다. 정신이 산만해서 일은커녕 차라리 놀기라도 잘해야 하는데 그것도 못한다. 놀면서도 놀이에 집중하지 못하는 사람이 일을 잘할 듯하지만 그건 그렇지 않다. 그런 사람들은 노는 사람들 틈에 있으면 자기도 노는 것으로 착각한다. 또한 해야 할 일이 있다는 사실 하나만으로도 자기는 열심히 일을 하고 있다고 착각을 한다.

어떤 일이든 최선을 다해야 한다. 어중간하게 하려면 시작부터 하지 마라. 무슨 일을 하든 자기가 하고 있는 일에 정신을 집중하는 것이 무엇보다도 중요하다. 모든 일에 있어서 해야 하는가 하지 말아야 하는가는 둘 중 하나이다. 그 중간은 없다. 일단 한다고 결정하면 무슨 일이든 간에 눈과 귀를 한 곳으로 집중해야 한다. 상대방의 말을 주의 깊게 듣는 것은 물론 눈앞에 펼쳐지는 일 또한 빼놓지 않고 보겠다는 마음 자세가 중요하다.

아무튼 호라티우스를 읽고 있을 때에는 내용을 생각하고 그 멋진 표현이나 시의 아름다움을 맛보는 것이 좋다. 그러기 위해서는 다른 작품에 정신이 팔려서는 안 된다. 그리고 그러한 책을 읽고 있을 때에는 상대방의 일을 생각해서도 안 된다. 지금 하고 있는 일을 열심히 하는 것이 최선의 길이다.

명언 한마디

* 인생에 있어 잘못 알고 있는 것 중의 하나는 현재가 결정적으로 중요한 시기가 아니라고 여기는 것이다. 매일매일이 그해 최고의 날이라는 것을 마음속 깊숙이 새겨라. 바로 그날을 충실하게 즐기는 사람이 잘사는 사람이다.

근심, 걱정, 그리고 불안에 가득찬 사람은 그날을 잃어버리는 것과 같기 때문에 매일매일 마무리를 잘해야 한다. 그리하면 그날을 잘 보내게 되고 당신은 당신이 할 수 있었던 것을 해내게 된다.

에머슨

에머슨: 미국의 사상가·시인. 초월주의자로 목사가 되었으나 교회와 목사직에 회의를 품고 사직을 했다. 그 후 콩고드에 있는 동안 사색과 강연·저술에 전념하였고, 콩고드의 철인으로 「자연」「신학부 강연」 등의 저서를 남김.

단 한푼이라도 지혜롭게 써라

이제는 너도 점점 어른이 되어간다. 마침 이 기회를 통해서 돈의 씀씀이는 물론 너에게 어떤 생각으로 돈을 보낼 것인가에 대하여 말하겠다. 그렇게 하면 너도 한결 계획을 세우기가 수월해질 것이다.

나는 네가 공부에 필요한 돈이나 사람들을 사귀는 데에 쓰는 돈은 단 한푼도 아낄 생각이 없다. 공부에 필요한 돈이란, 책을 사보거나 실력이 있는 선생님으로부터 강의를 받을 때에 쓰는 돈을 말한다. 이 속에는 여행지에서 쓰는 돈 즉, 숙박비 · 교통비 · 의복비 · 가이드비 등도 포함된다.

사람을 사귀는 데에 필요한 돈이란, 사회 활동을 할 때 쓰는 돈을 말한다. 이를테면 불쌍한 사람들을 위한 자선이나 이미 도움을 받은 분들에 대한 사례, 앞으로 도움을 받게 될 분에 대한 선물 비용도 그렇다. 또한 이런저런 사람들과 교제를 할 때에 쓰는 돈, 다시 말해서 여러 가지 관람료와 놀이의 비용, 기타 돌발적으로 쓰이는 비상금 등이 그것이다. 내가 절대로 줄 수 없는 돈은 무모하게 싸움을 한 후로 피해 보상에 쓰이는 돈과 하릴없이 빈둥빈둥 시간을 때우기 위해 쓰는 돈이다. 현명한 사람은 자기의 명예를 훼손시키는 일이나 도움이 되지 않는 일에는 절대로 돈을 쓰지 않는다. 그런 일에 돈을 쓰는 사람은 어리석기 짝없다.

현명한 사람은 돈도 시간과 마찬가지로 헛되게 쓰지 않는다. 단돈 몇 푼이라도 일 분 일 초라도 말이다. 그들은 자신이나 상대방에게 유익한 것 또는 정신적인 기쁨을 얻는 데에만 돈을 쓴다. 그러나 그렇지 못한 사람들은 쓸데없는 일에 돈을 낭비하고 정작 필요한 곳에는 못 쓴다.

예컨대 상점 앞에 진열되어 있는 상품들이 그것이다. 필요없는 재떨이나 시계, 지팡이에 쓰이는 장식 용품 같은 것인데 결국에는 경제적인 손실이 이만저만 아니다. 이런 사람은 상점 주인이나 점원들조차도 눈치를 채고 어떻게 해서든지 물건을 팔아 보려고 덤벼든다. 그러니 주변은 온통 쓸데없는 물건으로 꽉차, 정작 마음에 들거나 필요로 하는 물건은 하나도 없다.

***

돈 쓰는 법을 철학적으로 익혀라

아무리 돈이 많아도 돈에 대한 철학을 가지고 요모조모 따져서 쓰지 않는다면 생계 용품조차도 살 수 없게 된다. 그러나 아무리 적은 돈이라 할지라도 돈에 대한 철학을 가지고 요모조모 따져서 쓴다면 최소한의 생계 용품은 살 수 있다.

돈을 지불할 때에는 될 수 있는 한 현금으로 지불하는 것이 좋다. 그것도 남을 시켜서가 아니라 자기가 직접 지불하는 것이 좋다. 남을 시키면 수수료나 사례비가 들기 때문이다. 불가피한 사정으로 외상 거래를 하더라도 술집이나 양복점 등은 약속한 날짜에 반드시 지불을 해야 한다. 물건을 살 때에는 꼭 필요한 것만 사야지 단지 싸기 때문에 사는 경우가 있다. 그것은 절약이 아니라 오히려 돈을 낭비하는 것이다. 더욱이 허영심 때문에 고가품을 산다면 이 또한 바람직하지 못하다. 자기가 사들인 물건과 지불한 돈은 상세히 가계부에 기록하는 것이 좋다. 돈이 들어오고 나가는 것을 정확히 파악한다면 경제적으로 어려움은 없다. 그렇다고 해서 교통비라든가 오페라를 관람하고 남은 돈까지 기록할 필요는 없다. 그것은 시간의 낭비일 뿐만 아니라 잉크가 아깝다. 그런 자질구레하고 따분한 짓은 구두쇠들이나 하는 것이다. 이것은 생계를 꾸리기 위한 것만이 아니라 모든 일에 연관시켜 말할 수도 있다. 즉 가치가 있는 것에는 관심을 두고, 쓸데없는 것에는 관심을 끊으라는 얘기다.

***

진정, 소중한 것은 가까운 곳에 있다

대체적으로 현명한 사람은 있는 그대로의 사물을 보려 한다. 그런데 어리석은 사람은 그것이 불가능하다. 그들은 마치 현미경으로 보는 것처럼 무엇이든 확대해서 보려 한다. 이 경우 벼룩이가 코끼리로 보인다. 그래도 작은 것이 크게 보인다면 다행이다. 최악의 경우에는 큰 것이 지나치게 확대되어 아예 볼 수가 없다.

몇 푼 안 되는 돈으로 인색하게 굴다가 결국은 크게 싸우는 사람들이 있다. 그들은 수전노(돈을 모을 줄만 알고 쓰려고는 하지 않는 인색한 사람을 욕으로 이르는 말)로 불려진다는 사실조차도 눈치채지 못한 채 스스로에게도 해로운 짓을 저지른다. 그리고 수입 이상의 생활을 하기 위해 자기 주변의 소중한 것들을 홀대하는 경향이 있다.

'자기 분수에 맞게 행동해라' 자칫 이 말은 상대의 발전 가능성을 무시한 것으로 들려 오해를 사는 경우가 있다. 그렇지만 긍정적으로 생각해 보면, 자신의 위치와 상황을 확실하게 파악하고 어디까지가 가능한 일이고 어디까지가 불가능한 일인지를 구분하여 행동하라는 것이다. 그런데 그 가능성의 경계선은 불분명하다. 그러므로 이런 상황에 처하면 분별력이 있는 사람보다도 어리석은 사람이 더 혼란을 겪게 된다. 나는 네가 가능과 불가능한 범위에 대하여 분별력이 있다고 생각한다. 그렇다 해도 항상 경계선을 잊지 말고 마음속에 새겨 그 경계선을 능숙하게 분별하기 바란다. 또한 스스로 능숙하게 분별할 수 있는 힘이 생길 때까지는 하트 씨께 부탁하여 정상적인 과정을 밟을 수 있도록 의견을 구해라. 말로는 경계선을 능숙하게 분별하는 것 같지만 진정 행동으로 그것을 실천하는 사람은 드물다. 그런 만큼 경계선에 대한 분별력을 가진 사람은 현명하다고 할 수 있다.

명언 한마디

* 악서는 읽을 필요도 없지만 양서는 가끔 읽으려 해도 좀처럼 마음대로 읽혀지지 않는 법이다. 악서는 정신의 독약이며 정신의 파멸을 가져온다. 그렇다 해도 인생은 짧고 시간과 능력에는 한계가 있어 정작 그것을 모른다.

쇼펜하우어

쇼펜하우어: 독일의 철학자. 일체의 생은 고통과 비극이라는 염세관의 철학을 주장. 주요 저서 「의지와 표상으로서의 세계」.

4장

고정 관념이 생기기 전에 해야 할 것들

젊었을 때에는 역사책을 많이 읽어라,
그리고 밖으로 눈을 돌려라

사람은 시시각각 변하는 카멜레온이다

나는 네가 프랑스 역사에 관하여 올바른 식견이 있다고 생각한다. 무엇보다도 기뻤던 것은 네가 책으로 내용만을 파악하는 것이 아니라 의미까지도 깊이 알려 한다는 것이다. 대부분의 사람들은 책에서 자기 나름의 지식을 얻어야 하는데 그저 막연하게 외우는 것이 전부이다. 결국 머리 속은 불필요한 지식만 혼란스럽게 쌓인 창고와 같아서 정작 필요한 지식을 그때그때 찾아 쓸 수 없다.

저자의 이름만을 보고 아무런 생각도 없이 줄줄이 외우지 마라. 거기에 쓰여 있는 내용이 얼마나 정확한가, 지은이의 고찰과 주장이 얼마나 옳은가를 판단하기 바란다.

하나의 역사에 관해서는 여러 권의 책을 읽고 연구한 자료를 종합적으로 분석하여 그것에 대한 식견을 넓히는 것이 바람직하다. 우리가 역사 공부를 하는 것은 기껏해야 거기까지가 손에 닿는 범위라고 생각한다. 그렇기 때문에 역사적 진실을 밝히기란 사실상 불가능하다.

***

용감한 카이사르는 왜 살해당했을까

역사책을 읽어 보면 역사적 사건의 동기나 원인에 대하여 기록된 경우가 있는데 그것을 곧이곧대로 믿어서는 안 된다. 그 사건에 얽힌 인물의 행동과 사고 방식을 꼼꼼히 살펴본 후 지은이의 고찰이 이치에 맞는지, 그것 말고도 가능성이 더 큰 동기는 없는지, 나름대로 꼼꼼히 따져 볼 줄 알아야 한다.

사람의 감정이란 즉흥적으로 변하고, 의지는 나약하며, 심리 상태는 건강에 따라 쉽게 좌우된다. 이처럼 온갖 변화에 민감함으로 그때그때 다르다. 따라서 그때 그것이 비록 용기가 없고 비겁한 행동이거나 사사로운 감정이라 할지라도 이를 가볍게 넘겨서는 안 된다. 왜냐하면 사람은 이해 못할 모순이 많은 존재이기 때문이다. 아무리 잘난 사람이라도 보잘것없는 데가 있고, 아무리 못난 사람이라도 누구 못지 않게 잘난 데가 있다. 전혀 가치가 없는 사람이라도 어딘가에 장점이 있어 엉뚱하게도 훌륭한 일을 할 때가 있다. 이것이 바로 사람의 본 모습이다. 이런 상황에서 사람들은 보다 더 거창한 역사적 동기를 찾아내려고 하는 경향이 있다. 그러나 과연 그럴까. 예를 들어 루터의 종교 개혁은 그의 경제적 어려움에서 시작되었을지도 모른다. 그럼에도 불구하고 자칭 권위가 있는 역사학자들은 역사적으로 큰 사건뿐만 아니라 평범한 사건에 이르기까지도 미주알고주알 정치적인 동기를 부여하려 한다. 이것은 매우 바보스러운 짓이다. 사람이란 모순 투성이의 존재이기 때문에 언제나 자기가 가지고 있는 잘난 부분에 의해 그 행동이 좌우되는 것만은 아니다. 현명한 사람이 어처구니없게도 어리석은 행동을 하는 경우와 어리석은 사람이 의외로 현명하게 행동하는 경우가 그것이다. 따라서 모순된 감정을 가지고 그날그날의 건강이나 심리 상태에 따라 변하는 것이 사람이다. 이처럼 사람은 불안정한 존재이니까, 결론을 내리기가 쉽다고 해서 그럴싸한 동기를 부여하는 것은 잘못된 것이다. 예컨대 저녁 식사를 맛있게 하고, 잠도 푹자고, 맑게 개인 아침을 보았다면 그는 하루 종일 기분좋게 보낸다. 그러나 저녁 식사도 맛없게 하고, 잠도 설치고, 아침에 비까지 내렸다면 그는 하루 종일 우울하게 보낸다. 이와 같은 상황으로 비추어 볼 때 사람의 행위에 대해 아무리 규명하려고 해도 실체에 접근하기가 어렵고 어디까지나 추측의 영역에 머무른다. 단지 이러저러한 사건이 있었다고 하는 것만이 우리들이 알 수 있는 것의 전부이다.

카이사르는 23명의 음모로 인하여 살해되었다. 이것은 의심할 여지가 없다. 그런데 이 23명의 음모자들이 진정으로 자유를 원하고 로마를 사랑했기 때문에 카이사르를 죽였을까? '글쎄요' 라고 의문을 제기할 것이다. 즉, 어느 누구도 그렇다고 단정적으로 말하기는 곤란하다. 그것만이 원인일까? 적어도 숨겨진 또 다른 원인이 있지는 않을까? 만일 그 사건에 대한 진상이 밝혀질 일이 생긴다면 주동자인 브루투스(고대 로마의 정치가, 군인)의 자존심이나 질투, 원한이나 분노 등등 개인적인 동기가 조금은 원인이 되었을 것이다.

***

역사적인 사실에 대하여 왜 열심히 공부해야 하는가

회의적인 시각으로 볼 때 역사적인 사건 그 자체도 의심스러운 경우가 종종 있다. 적어도 그 사건과 관련된 배경만큼은 그렇다는 말이다. 그러니 매일매일 자신이 경험하는 일로 미루어 짐작할 때 역사라고 하는 것이 그 얼마나 믿기 어려운 것인가를 알 수 있다.

예를 들어 최근에 일어난 사건을 여럿이 증언했다고 치자, 과연 증언한 내용이 처음부터 끝까지 똑같을 수 있을까. 대부분 그렇지 않다. 사건의 경위를 착각하는 사람도 있고 증언할 때에 상황적으로 느낌이 달라지는 사람도 있다. 자기의 생각을 정확하게 증언하는 사람이 있는가 하면 갑작스런 심경의 변화로 사실과 다르게 증언하는 사람도 있다. 게다가 증언을 수집하고 기록하는 담당자도 반드시 공정하고 정확한 처리를 했다고 보기는 어렵다. 그런 의미로 볼 때 역사학자도 마찬가지이다.

학자에 따라서는 객관적인 사실보다는 자신의 말을 일관되게 주장하고 싶을 것이다. 그런데도 프랑스 역사책은 반드시 각 장 첫머리에 '이것은 진실이다' 라는 문구가 붙어 있는데 참으로 묘한 일이다. 그러니 역사학자의 명성만 믿고서 그의 모든 글이 옳다고 생각해서는 안 된다. 그렇다고 역사 공부를 하지 말라는 것은 아니다. 모두가 한결같이 인정하는 역사적 사실이라면 감히 누구라 해도 부인할 수 없는 것이므로 구전이나 책으로 남아 있는 것들은 알아두는 것이 좋다.

예컨대 살해당한 카이사르의 망령이 브루투스 앞에 나타났다고 기록한 학자들이 있다. 그런데 나는 그런 이야기를 전혀 믿지 않는다. 그러나 그러한 말이 화제가 되고 있다는 것쯤은 알고 있어야 창피스럽지 않다. 어느 역사학자가 학문적으로 기록을 해 놓았다고 해서 꼭 믿을 것은 못 되지만 화제에 오르내리거나 또는 책에 기록되어 있는 경우가 있다. 이렇게 해서 정착된 것이 이교도 신학이다. 주피터(로마 신화에 나오는 최고의 신), 마르스(로마 신화에 나오는 군신), 아폴로(로마 신화에 나오는 태양 · 예언 · 의료 · 궁술 · 음악 및 시의 신) 등 고대 그리스 신들이 그것이다. 우리는 설령 그들이 실존했던 인물이 아니라고 해도 존재한 것처럼 자연스럽게 받아들이고 있다. 아무리 역사를 회의적으로 보더라도 이처럼 상식으로 통하는 것들은 확실하게 공부해 둘 필요가 있다. 그러하니 역사는 사람이 사회를 살아가는 동안 그 어떤 학문보다도 필요하다.

***

과거를 거울삼아 현재를 보는 것도 좋다. 그러나 절대로 단정하지 마라

늘 명심해라 과거에도 그랬으니까 현재도 그렇다고 단정적으로 말하는 것은 옳지 않다. 과거의 사례를 들어 현재를 살피는 것도 좋지만 매우 신중하게 접근해야 한다.

현재를 사는 우리가 과거에 발생했던 사건의 진실을 아무리 알려고 해도 분명하게 알 수 없다. 기껏해야 추측하는 것이 전부이다. 그것은 과거의 증언이 현재의 증언에 비해 생각 이상으로 애매할 뿐더러 세월이 흐르는 동안 점점 신빙성이 떨어지기 때문이다.

유명한 학자들 가운데는 공과 사를 가리지 않고 과거의 유사한 사건을 사례로 들어 사실인 양 인용하는 학자도 있다. 그야말로 어리석은 짓이다. 그 학자는 깊이 생각해 본 일도 없겠지만 천지 창조 이래로 동일한 사건이 일어난 예는 단 한 차례도 없다. 더군다나 어떤 역사가라 할지라도 사건의 전모를 기록한 일도 없다. 또한 전모를 파악한 사람조차 없으니 그것을 근거로 논쟁한다는 것 자체가 무의미하다. 여기서 유사하다고 생각되는 사건을 참고로 하는 것은 바람직한 일이다. 그렇다 해도 유사점을 참고로 할 것이지 그것을 판단의 근거로 삼아서는 안 된다. 옛날 학자나 옛 시인이 썼다고 해서 그것을 그대로 인용하면 곤란하다.

역사 공부는 어떻게 하는 것이 좋을까

지금까지 거듭 말하지만 역사를 공부하는 것은 정말로 중요하다. 일반 사람들은 신뢰할 만한 역사학자의 책으로 공부하는 것이 좋다. 그것이 옳든 그르든 간에 우선 역사 지식을 쌓는 것이 중요하다.

너는 역사 공부를 어떻게 하느냐? 어떤 사람은 시간과 노력을 절약하기 위해 우선 역사적 큰 사건을 중심으로 공부하고 나머지는 줄거리만 대충 훑어본다. 그러나 처음부터 끝까지 모든 것을 낱낱이 공부하는 사람도 있다. 나는 여기서 다른 방법을 권하고 싶다. 먼저 역사책을 국가별로 읽어 대략적인 내용을 파악해라. 이때 핵심적으로 볼 것은 전쟁의 성패, 권력의 변화, 정치 형태의 발달 과정 등 중요하다고 생각되는 내용만을 선별한 다음 상세히 기록된 논문이나 책을 찾아 깊이 있게 공부하는 것이 더 중요하다. 이때 생각을 깊이 하여 사건의 원인을 찾아내고 그 사건이 어떠한 결과를 가져왔는지 진지하게 살펴볼 줄 알아야 한다.

***

역사는 책과 사람을 통해서 배워라

예컨대 프랑스의 역사와 관련된 것을 알고 싶다면 아주 간결하고도 쉽게 쓰여진 르 장드르의 책이 좋다. 이 책을 자세히 읽으면 프랑스의 역사를 전반적으로 이해할 수 있다. 그리고 좀 더 역사를 깊이 있게 알려면 이번에는 메제 레이의 역사책이 효과적이다. 그 밖에도 시대별 사건들을 상세히 기술한 역사책과 정치적인 관점에서 쓰여진 논문 등등 참고가 될 만한 것들을 찾아 읽어라. 또한 근대사와 관련해서는 필립 드 코미느의 회고록을 비롯하여 루이 14세 때 쓰여진 역사책들을 보면 된다. 이것들을 적절하게 골라 읽으면 한 시대와 사건을 입체적으로 알 수 있다.

그리고 프랑스의 여러 계층 사람들과 만날 기회가 있다면 역사와 같은 딱딱한 이야기를 화제삼아 그것을 시도해 보는 것도 한 가지 방법이다. 비록 역사와 관련하여 잘 모르는 사람도 자기 나라의 역사를 어느 정도는 알고 있다. 그러니 역사책을 많이 읽지 않은 사람이라 할지라도 역사에 대한 자부심으로 흔쾌히 이야기를 해 줄 것이다. 그런 의미에서 그들과 이야기를 나누면 틀림없이 도움이 된다. 이때 책이 아니라 생생한 지식을 현지에서 얻을 수 있다.

사회라는 것은 거대한 한 권의 책과 같다

사회라는 것은 거대한 한 권의 책과 같다. 지금 내가 너에게 권하고 싶은 것은 사회라는 한 권의 책이다. 여기서 얻어지는 지식은 이제까지 출간된 책을 모두 합친 것보다 훨씬 더 많은 도움이 된다. 따라서 괜찮은 사람들과 모임을 가질 기회가 생긴다면 어떠한 좋은 책을 보고 있더라도 너는 당장 덮고 그 모임에 참석하는 것이 좋다. 그렇게 하는 것이 몇 배나 더 큰 공부가 된다. 그렇다고 해서 책을 멀리하라는 얘기는 아니다. 아무리 다양한 일과 놀이 등등 복잡하고도 바쁜 생활 속에 있지만 우리에겐 잠시 숨을 돌릴 여가 시간이 있다. 그러한 시간을 활용해서 책을 읽는 것이야말로 한층 몸과 마음을 편히 쉬게 하는 것이며 한편으로 즐거운 일이다. 이렇듯이 여가 시간을 살려서 가치있게 책을 읽으려면 어떻게 해야 하는가? 그것에 대하여 몇 가지 요령을 간략히 말하겠다. 먼저 주의할 것은 내용이 시시하고 조잡한 책에다 시간을 헛되이 쓰지 마라. 그러한 책은 특별하게 쓸 것도 없는 게으른 저자가 어리석은 독자를 겨냥하여 대충 쓰는 경우가 많다. 그런 책들은 우리의 주변에도 흔히 있는데 이롭지 않을 뿐더러 독이 되니 안 보는 것이 상책이다.

책을 읽을 때에는 목표를 세워 놓고 그 목표를 달성할 때까지 다른 책에 절대로 손대지 마라. 그래야 읽던 책을 마무리할 수 있다. 또한 너의 장래를 생각해서라도 근대사와 현대사에 중점을 두어라. 특히 중요하고 관심이 있는 시대를 선별하여 그것을 체계적으로 공부하는 것이 좋다.

예컨대 웨스트팔리아 조약에 관심을 가졌다고 치자. 그렇다면 그와 관련된 역사책이나 회고록, 관련된 문헌 등을 체계적으로 읽고 비교 검토해라. 그러면 그 조약에 관하여 누구보다 상세하고도 정확하게 알게 된다. 그렇다고 이런 방법으로 시간을 낭비하라는 것은 아니다. 여유 시간을 좀 더 효과적으로 쓸 수 있다면 그와 같은 방법이 있다는 것을 알려주는 것뿐이다.

어차피 하는 독서라면 한꺼번에 여러 가지 주제를 갖기보다는 한 가지를 정해서 체계적으로 공부하는 편이 훨씬 더 낫다. 그런데 같은 종류의 책을 읽더라도 그 내용이 서로 상반되거나 모순되는 경우가 있다. 그럴 때에는 또 다른 책을 찾아보면 좋다. 그런 일은 옆길로 빠지는 것이 아니라 오히려 기억을 분명하게 해준다.

예를 들어 무엇인가를 알기 위해 책을 보고 있다. 그런데 머리에 잘 들어오지 않는다. 이때에는 같은 책을 보더라도 우연히 정가에서 화제가 되고 있고 논쟁 중에 있는 책을 읽어

라. 그리고 현장이나 주위 사람들로부터 직접 이야기를 들어라. 그렇게 하면 책에서는 입체적으로 파악되지 않은 것들이 머리 속으로 속속 들어온다. 여기서 얻게 된 지식은 의외로 생생하니 이 또한 바람직한 일이다.

네가 사회인이 된 이후 책을 읽는 방법에 대하여 몇 가지만 간략히 말하겠다.

첫째, 사회에 첫걸음을 내디딘 지금, 책을 많이 읽을 필요는 없다. 그보다는 여러 계층 사람들과 대화를 통해 정보를 얻는 것이 바람직하다.

둘째, 가능한 한 너에게 도움이 되지 않는 책은 읽지 마라.

셋째, 한 가지 주제를 정해 놓고 그와 관련된 책들을 집중적으로 읽어라. 이렇게 하루 30분씩만 노력한다면 지적인 활동에는 별로 지장이 없을 것이다.

여러 번 말로만 듣는 것보다 실제로 한 번 보는 것이 더 낫다

이 편지가 너에게 도착할 쯤이면 아마도 너는 베니스에서 로마로 떠날 준비를 하고 있겠지. 하트 씨에게도 지난번 편지로 부탁드린 것과 같이 로마로 가는 길은 아드리아해를 따라 리미니, 로레토, 앙코나를 경유하는 것이 좋다. 어느 곳이나 들러 볼 만한 가치가 있는데 그곳에 오래 머물러 있을 정도는 아니다. 잠깐 들러가면 충분하다.

그 일대에는 고대 로마의 유물을 비롯하여 잘 알려진 건축물, 회화, 조각들이 많이 있다. 꼼꼼히 살펴본다고 해도 그렇게 많은 시간이 걸리지는 않는다. 그러나 내부까지 살펴볼 경우에는 좀 더 시간과 주의력이 필요하다.

대부분의 젊은이들은 경솔하고 주의가 산만해 무엇을 대하든 관심이 없다. 그러니 보아도 보지 못하고 들어도 듣지 못한다고 많은 사람들이 말을 한다. 겉핥기식으로 보거나 건성건성 듣는다면 차라리 눈과 귀를 막는 편이 낫다. 그런 점에서 네가 써 보낸 여행기를 보니 너는 가는 곳마다 갖가지 호기심과 주의력을 가지고 잘 관찰한 것 같다. 바로 그런 것이 여행의 참다운 목적이 아닐까.

***

흥미 진진한 여행에 깊이 빠져라

대부분의 사람들은 여행을 해도 그저 이곳저곳을 따라다니는 것이 전부이다. 겨우 생각한다는 것은 다음 목적지까지는 얼마나 떨어져 있고 다음 숙소는 어디에 있는지만을 신경 쓴다. 결국 출발할 때나 돌아올 때나 똑같다. 여행을 하면서 교회의 뾰족한 탑과 벽시계 그리고 호화 저택에 감탄했을 뿐이라면 그런 여행은 무의미하다. 그런 여행이라면 차라리 집에서 쉬는 편이 훨씬 낫다. 반면에 그 지방의 정세나 다른 지방과의 관계 · 차이점 · 교역 · 특산물 · 정치 형태 · 헌법에 관한 체계 등을 상세히 관찰하는 사람도 있다. 이때 왕래를 하면서 확실하게 그 지방의 유명한 사람을 만나본다든지 독특한 예의 범절이나 생활 양식을 알아보는 경우도 있다. 그런 사람에게 여행은 도움이 될 뿐더러 많은 것을 배우게 한다.

로마는 인간의 감정이 여러 가지 형태로 생생하게 표현된 매우 훌륭한 예술로 승화된 도시이다. 그러므로 로마가 아니고서는 쉽게 볼 수가 없다. 그곳에 머무는 동안 만큼은 캐피탈이나 바티칸 궁전이나 판테온 등등 그것으로 만족해서는 안 된다. 비록 1분간의 관광일지라도 현지 정보를 얻기 위해서는 열흘간의 노력이 필요하다.

로마 제국의 본질, 교황이 가지고 있는 권력의 흥망성쇠, 그리고 궁정의 정책, 추기경의 책략, 교황 선출을 둘러싼 뒷이야기 등등 절대 권력을 누린 로마 제국의 숨겨진 이야기라면 깊이 빠져들 가치가 있다.

어느 지방을 가든지 그 지방의 역사와 함께 현재를 간략하게 소개한 책들이 있다. 우선 그것을 먼저 읽어 보면 좋다. 미흡한 부분도 있겠지만 전반적으로 그 지방을 이해하는 데 큰 도움이 된다. 그것을 읽고 나서 좀 더 상세히 알고 싶은 것이 있다면 그 지방 사람들에게 물어 보자. 궁금하거나 모르는 부분은 그것을 잘 아는 사람에게 묻는 것이 최선이다. 왜냐하면 아무리 상세한 정보를 담고 있는 책이라 해도 완벽하지 못하기 때문이다.

어느 나라든 자기 나라의 현황을 소개한 책들이 여러 권 있다. 그러나 어느 책이든 정보로써는 불충분하다. 그것은 현재 벌어지고 있는 상황에 대하여 정통하지 못한 사람들이 쓴 책이거나 허술하게 만든 다른 책을 그대로 베껴 썼기 때문이다. 그렇다고 해서 그 책자들이 전혀 읽을 가치가 없다는 것은 아니다. 그런대로 읽을 만한 가치는 있다. 그 동안 몰랐던 사실을 알게 되고 그 책자가 아니라면 끝내 지나칠 지식도 있으니까 말이다.

프랑스 의회에 관하여 궁금한 것이 있다면 단 한 시간이라도 좋으니 그곳 사정에 밝은 의장이나 의원들에게 물어 보아라, 그러면 책들을 다 모아 읽어도 모를 의회의 미묘한 내부

사정을 손쉽게 알 수 있다. 만일 새로운 군사 지식이 필요하다면 그곳의 장교에게 물어 보자. 누구나 자기 직업에는 긍지와 자부심이 있으므로 그것에 대한 이야기라면 꺼리지 않을 것이다. 더군다나 자기 직업에 관련된 질문을 받는다면 모든 것을 드러내어 자랑스럽게 이야기할 수도 있다. 그러니 만날 기회가 있거든 여러 가지를 물어 보는 것이 좋다. 훈련법 · 야영 방법 · 피복의 지급 방법 혹은 급료 · 역할 · 검열 · 숙영지 등등 알고 싶은 것이 있다면 무엇이든지 속속들이 물어 보도록 해라. 네 경우는 이런 방법으로 해군에 관한 정보를 수집하는 것도 좋을 듯싶다. 지금까지 영국은 프랑스의 해군과 언제나 깊은 유대 관계를 맺어왔고 앞으로도 그럴 것이다. 그게 아니더라도 알아서 손해볼 일은 없다.

영국으로 귀국했을 때에 네가 몸소 체험한 해외 정보가 너의 위상은 물론 외국과의 거래에 있어서 얼마나 많은 도움이 될런지를 생각해 보아라. 그것은 아마도 상상 이상일 것이다. 실제적으로 이 분야는 미개척 분야이기 때문에 더욱더 정통한 사람이 드물다.

명언 한마디

* 밟는 것도 좋다. 그러나 밟지 않아도 된다면 함부로 밟을 필요는 없다.

중국 작가 노신

노신(루신): 의사이며 사상가로 노벨문학상 수상. 주요 작품「광인일기」「아큐정전(阿Q正傳)」「고향」「야초(野草)」

생생한 지식을 얻으려면 현지에 적응해라

하트 씨의 편지를 보면 언제나 너를 칭찬하는데, 특히 이번 편지에는 기쁜 소식이 적혀 있었다. 너는 로마에 있는 동안 이탈리아 사람들과 어울리려고 항상 노력한다지? 반면에 영국 부인이 만든 단체에는 가입하지 않았다더구나. 이런 너의 결정은 잘한 것이다. 이처럼 내가 왜 너를 외국에 보낸는지에 대하여 네 스스로 알고 있다니 나는 진정 기뻤다. 세계 각 나라의 사람들을 아는 편이 한 나라의 사람들을 아는 것보다 훨씬 더 유익하다. 이 분별 있는 행동을 어느 나라에 가든 끊임없이 해라.

파리에는 영국인들이 30명 또는 300명 이상 끼리끼리 모여 집단으로 살고 있는데 그들은 프랑스 사람들과는 그 어떤 교류도 없이 오직 자기들끼리만 어우러져 생활한다. 그들과 마찬가지로 영국 귀족들의 생활 형태 또한 대체적으로 비슷하다. 우선 아침 늦게까지 이불 속에 있다가 일어나면 자기들끼리 모여 아침 식사로 오전 중 2시간을 헛되이 보낸다. 그런 다음 마차를 타고 궁정이나 노틀담 사원 같은 곳으로 구경을 간다. 그렇게 시간을 보낸 후에는 커피하우스에 들러서 저녁 식사 겸 즉석 술자리 파티를 갖는다. 저녁 식사와 곁드려 술을 마신 뒤에는 우르르 공연장으로 몰려간다. 그리고 촌스럽긴 하지만 옷감만큼은 최고급인 양복을 입고 무대 앞으로 자리를 잡는다. 연극이 끝나면 일행들은 또 다시 간이 술집으로 간다. 그곳에서 그들은 마냥 술을 퍼마시고 서로 다투거나 거리에서 싸움질을 벌이는데 결국은 경찰서로 끌려가게 마련이다.

허구한 날 이런 생활을 되풀이하고 있으니 프랑스 말을 하기는커녕 프랑스 사회를 깊이 배울 수도 없다. 언제나 그런 식이다. 귀국을 해서도 타고난 성급함은 더욱 거칠어질 뿐이고 근본적으로 아는 것이 없는 데다가 지식도 쌓일 리가 없다. 그래도 외국에 다녀왔다는 것을 자랑하고 싶어 서투른 프랑스 말과 프랑스식으로 옷을 입는데 모든 것이 엉터리어서 그야말로 꼴불견이다. 결과가 이 정도라면 해외 경험은 물론 보람도 실속도 없다. 너는 결코 그렇게 되지 않도록 프랑스에 머무는 동안 프랑스 사람들과 잘 어울리는 것이 좋다. 그렇게 하면 네가 누군가에게 자극을 주는 좋은 본보기가 될 것이다.

***

현지 사람들의 꾸밈없는 생활 의식과 참모습을 보아라

그렇다고는 하지만 기껏해야 일주일이나 열흘간 마치 철새처럼 잠시 머무는 것만으로는 여행의 참뜻을 알 수도 없고 상대방과 친하게 사귈 수도 없다. 너를 받아들이는 쪽도 짧은 기간 동안에 친해지는 것을 꺼리게 된다. 그것뿐이라면 다행이다. 아는 사이가 되는 것조차도 싫어한다. 그러나 며칠이 아니라 여러 달 동안 충분히 머무르게 되면 사정은 달라진다. 그 지방 사람들과 격의없이 사귈 수 있게 되고 이방인이라는 선입견도 당연히 사라진다. 이것이 진정 여행의 즐거움이 아닐까? 어디를 가든지 그곳 사람들과 허물없이 지내면서 꾸밈이 없는 일상을 보아야 한다. 그렇게 해야만 제대로 그 지방의 풍습과 예절을 이해하게 되고 다른 지방에서는 볼 수도 없었던 것들을 보게 된다. 이것은 결코 한두 시간의 형식적인 방문으로는 얻어질 수 없다.

세계 어디를 가든 사람이 가지고 있는 습성은 비슷하다. 다른 것이 있다면 그것을 표현하는 방법이 지방의 특성과 환경에 따라 각각의 모양을 취한다는 것이다. 우리들은 그 다양한 문화에 일일이 익숙해져야 한다.

예를 들어보자면 야심이라는 감정이 있다. 이것은 누구나 다 가지고 있다. 이것을 만족시키는 수단이나 수준은 교육이나 풍습에 따라 서로 다르다. 예의를 지킨다는 것 또한 누구나 기본적으로 가지고 있는 감정인데 그 마음을 어떻게 표현하느냐에 따라 서로 다르다.

영국의 국왕에게 예를 갖추어 절을 하는 것은 존경하는 마음을 나타내는 것이 되지만 프랑스 국왕에게 절을 하는 것은 실례가 된다. 앞에서 말한 것과 같이 황제에게 존경하는 마음의 표시로 엎드려 절을 하는 나라도 있고 전제 군주 앞에서 몸의 전체를 엎드려야 하는 나라도 있다. 이처럼 시대마다 나라마다 예를 갖추는 형식은 다르다. 그렇다면 그 예의 범절은 어떻게 해서 생겨난 것일까. 그것은 우연한 일로 생겨나 필요에 의해 즉흥적으로 만들어져 내려온 것이라고 밖에 말할 수 없다. 따라서 아무리 현명하고 분별있는 사람이라 할지라도 그 지방 특유의 예의 범절을 배우지 않고서야 어찌 표현할 수 있겠는가. 그것이 가능해지려면 그 지방에 가서 몸소 체험하고 실천하는 것뿐이다. 예의 범절은 이성적인 판단으로 설명하기 어렵다. 그것은 우연히 생긴 것임을 부인할 수 없기 때문이다. 그렇다 해도 예의 범절이 엄연히 거기에 존재하는 이상 그것에 따라야 한다. 이것은 왕이나 황제에 대한 예의만를 놓고서 하는 말은 아니다. 모든 계층에도 이와 같은 예의 범절이 있다. 그 예의 범절에 따르는 것이 좋다.

건강을 기원하면서 축배를 드는 것은 거의 어느 지방에서나 볼 수 있는 풍습이다. 내가 한 잔 가득히 술을 마시는 것이 다른 사람의 건강과 도대체 무슨 관계가 있단 말인가? 상식적으로는 이해하기가 어렵다. 그러나 나는 그 풍습을 받아들이고 따르는 것이 좋다고 생각한다.

다른 사람들에게 예의를 갖추어서 기분 좋은 생각을 갖게 해라. 때와 장소 그리고 사람에 따라서 어떻게 예의를 갖출 것인가는 직접 눈으로 보고 몸으로 익히기 전에는 알 수 없다. 이 또한 앞에서 말한 바와 같다. 그런 것을 배우고 돌아오는 것이 올바른 여행 방법이 아닐까?

사리 분별이 있는 사람은 어디를 가든 그 고장의 풍습을 따르려고 노력한다. 전세계 어디를 가든 그렇게 하는 것이 필요할 것이고 도덕적으로 허용이 된다면 무슨 일이든지 그렇게 따르는 것이 좋다. 그때 가장 필요한 것은 적응력이다. 진지한 사람은 진지한 표정으로 대하고, 쾌활한 사람에게는 명랑하게 행동하고, 경솔한 사람에게는 그럭저럭 가볍게 상대하는 것을 몸에 익히도록 힘써라.

명언 한마디

* 역사를 만드는 것은 누구나 할 수 있다. 그러나 역사를 기록하는 것은 위대한 사람만이 할 수 있다.

오스카 와일드

오스카 와일드: 영국의 시인·소설가·극작가. 탐미(유미)주의 문학의 대표 주자. 주요 작품 「도리언 그레이의 초상」 「레딩 감옥의 노래」 「살로메」 「행복한 왕자」

***

때와 장소에 따라 적절히 행동할 줄 아는 능력을 키워라

여러 나라를 여행하면서 그 지방을 잘 아는 사람들과 어울리면 너는 그 지방 사람으로 변신할 수 있다. 그렇게 되면 프랑스 사람도 아니고 이탈리아 사람도 아닌 유럽 사람이 된다. 지방에 따른 특색과 풍습을 겸허하게 받아들여 파리에서는 프랑스 사람이 되고 로마에서는 이탈리아 사람이 되고 런던에서는 영국 사람이 되어라.

그런데 너는 이탈리아어를 잘하지 못해 어려움을 겪나 보구나 그렇다 해도 프랑스의 귀족들을 봐라. 그들에게 있어 그 말이 무슨 뜻인지는 모르지만 훌륭하게 산문을 읊조린다. 그와 마찬가지로 너도 훌륭한 이탈리아어를 할 수 있다. 우선 너처럼 프랑스어와 라틴어를 능숙하게 하면 이탈리아어의 절반을 알고 있는 것이나 다름이 없다. 그러니 사전 따위는 거의 찾아볼 필요가 없다. 다만 숙어나 관용구 그리고 애매모호한 표현 등은 상대방의 대화를 집중적으로 들어라. 그러면 곧 익숙해질 수 있다. 또한 틀리는 것을 두려워하지 말아라. 질문과 답을 할 수 있을 정도의 단어를 익힌 다음에는 주저없이 사람들과 자주 대화를 나눠라. 프랑스어로 "안녕하세요"라고 말을 거는 대신에 이탈리아어로 "안녕하세요"라고 말을 한다면 상대방은 이탈리아어로 대답을 해 줄 것이다. 그것을 외우고 되풀이하다 보면 자기도 모르는 사이에 능숙해진다. 지금까지 여러 가지 이야기를 했는데, 너를 해외로 보낸 이

유도 이런 것들을 현지에서 배우라는 것이었다. 어느 곳을 가든지 단순한 관광으로 만족하기 보다는 그 지방의 내부를 잘 살피고 현지 사람들과 사귀어 풍습과 예의 범절을 배워라, 그리고 언어도 같이 익혀라. 네가 이 정도의 것들을 배울 수만 있다면 나는 네게 정성을 쏟은 만큼의 보답을 받은 것이나 다름없다.

명언 한마디

* 분별없는 행동

배를 타고 많은 사람들이 항해를 하는 중이었다. 이때 한 젊은이가 송곳으로 배의 바닥에 구멍을 뚫고 있는 것이 아닌가.

이를 본 사람들이 깜짝 놀라서 아우성을 쳤다. 그러나 그는 오히려 화를 내며 대들었다.

"여긴 내 자리요. 내 자리를 내가 내 마음대로 하는데 당신들이 무슨 상관이오?"

이윽고 배에 탄 젊은이는 물론 나머지 사람들도 바다 밑으로 가라앉고 말았다.

탈무드

탈무드: '교훈·교의의 뜻으로' 유대인 율법 학자들이 사회의 모든 사상에 대하여 구전한 것을 해설하여 집대성한 책.

5장

보는 눈을 키워라

사고력을 키우겠다는 마음으로 사물을 대하면
보는 눈이 달라진다

남의 생각에 따라 사물을 판단하지 마라

이 편지가 도착할 때쯤이면 이미 너는 라이프치히로 돌아와 있을 것이다. 드레스덴의 궁정 사회를 처음 경험했을 때에 네가 어떤 인상을 받았는지 나는 궁금하다. 어쨌든 라이프치히에 돌아온 이상 너는 드레스덴에서의 들떠 있는 축제 기분을 털고 다시 공부에 전념하리라 믿는다.

아마도 궁정이 네 마음에 들었다면 열심히 공부를 해서 지식을 쌓아라. 그것만이 남에게 가장 빨리 인정을 받는 길이다. 궁정인들이 지식과 덕성을 갖추지 못한 것만큼 꼴불견이고 불쌍한 일은 없다. 그와 반대로 지식과 덕성이 있고 고상함과 겸손한 태도를 몸에 지닌 사람은 정말로 훌륭하다. 너도 그런 사람이 되었으면 좋겠다.

궁정은 '허위와 거짓의 덩어리이며 겉과 속이 전혀 다른 세계' 라고 흔히들 말을 하는데 과연 그럴까? 나는 그렇게만 보지 않는다. 강조해서 말하지만 일반론이 옳았던 경우는 드물었기 때문이다. 분명히 궁정은 허위와 거짓의 덩어리이며 겉과 속이 전혀 다를 수도 있다. 그러나 그것은 궁정에만 한정된 이야기가 아니다. 이 세상에 그렇지 않은 곳이 있다면 알고 싶다.

농부들이 모여 사는 농촌도 크게 다르지는 않다. 다른 점이 있다면 궁정에 비해 예의 범절이 조금은 없다는 정도이다. 농부들도 서로 이웃해 있는 밭에서 자신이 어떻게든지 더 많은 농산물을 수확하기 위해 온갖 방법을 강구하고 경쟁도 벌린다. 또한 소작인들은 지주의 마음에 들려고 갖가지 수단을 동원한다. 그것은 궁정인이 왕족의 비위를 맞추기 위해 애쓰는 것과 조금도 다를 바가 없다.

시골 사람들은 순수해서 허위와 거짓이 없으나 궁정인들은 거짓 투성이라고 시인들이 아무리 써 봤자 또 단순하고 어리석은 사람들이 그것을 아무리 믿어 봤자 진실은 변하지 않는다. 양치기나 궁정인이나 같은 사람이다. 마음으로 느끼고 생각하는 것이 다르지 그 방식에는 별다른 차이가 없다.

***

대중적인 일반론을 경계해라

일반론을 주장하거나 믿거나 인정하는 경우에는 신중하게 생각해라. 대체적으로 일반론을 주장하는 사람들은 잘난 체를 잘하고 교활한데 빈틈조차 없다.

진정으로 현명한 사람은 일반론을 내세울 필요가 없다. 간혹 교활한 사람이 일반론을 내세운다. 그럴 땐 그런 것에 의지할 만큼 빈곤한 지식이 가엾고 애처로울 뿐이다.

세상에는 국가나 직업 뿐만 아니라 여러 분야에서 일반론이 활개를 치고 있다. 그중에는 틀린 것도 있고 맞는 것도 있다. 대체적으로 말하자면 주관이 없는 사람들이 '일반론'이라는 낡은 장식품을 몸에 걸치고 남의 눈에 띄기를 바란다.

일반론을 앞세우는 사람들은 일부러 남의 웃음을 끌어내기 위해 위엄이 있는 척 '그런가요, 그래서요?' 당연히 그 다음 얘기가 있어야 할 것이라는 암시를 준다. 그러나 반응이 없으면 대부분 확신이 없거나 농담과 같은 일반론에 익숙해진 상대는 그 다음 말을 잇지 못하고 쩔쩔맨다. 그렇지만 충분한 지식과 확고한 생각을 가지고 있는 사람은 일반론에 의지하지 않고도 자기가 하고 싶은 말을 명확히 한다. 또한 너절하고 분명치 않은 일반론이 아니더라도 충분히 즐겁고 유익한 화제를 제공할 수 있다. 그런 사람은 빈정거리듯이 말을 하거나 일반론을 동원하지 않는다. 따라서 상대를 지루하게 만들지도 않을 뿐더러 재치있게 이야기를 할 수 있다.

상대방의 말에 분별력을 가져라

너는 이제 사물의 본질을 차분히 생각할 나이가 되었다. 그런데 같은 나이의 젊은이들 중 그것을 실천할 수 있는 사람은 그리 많지 않다. 그렇다 해도 너는 사물에 대한 본질을 깊이 생각하는 습관을 길러라. 하기야 나도 그것을 실천에 옮긴지는 오래 되지 않았다. 너를 위해서라면 내 자신이 부끄럽다 해도 마음속에 있는 것들을 털어놓겠다.

나는 열여섯 살에서 열일곱 살까지 내 스스로도 생각을 못했고, 그 후 좀 더 깊이 생각하게는 되었으나 그것을 생활로 옮기지는 못했다. 하나 같이 책의 내용도, 누군가와 대화를 할 때에도 분별없이 받아들였다. 시간과 노력으로 진리를 추구하기 보다는 설령 틀린다 해도 편하면 된다는 식이어서 생각 그 자체가 귀찮았을 뿐더러 놀기 바빴다. 게다가 나는 어느 정도 상류 사회의 독특한 사고 방식에 거부감을 갖고 있었다. 늘 그런 상태에서 분별있게 생각하기란 어려웠으며 정신을 차렸을 때에는 한쪽으로 치우친 생각을 가지게 되었다.

이처럼 스스로 깨닫지도 못하는 상태에서 진리를 추구하기는 커녕 잘못된 생각을 키웠다. 그러나 스스로 생각하려는 뜻을 세우고 그것을 실천하자 놀랍게도 사물을 보는 눈이 달라졌다. 습관처럼 사물을 보거나 실체가 없는 것에도 힘이 있다고 착각했던 그전과 비교해 보면 사물의 이치가 얼마나 정연하게 보였는지 모른다. 그렇다고 해도 지금 나는 다른 사람들과 같은 사고 방식에서 벗어나지 못한 것 같다. 세월이 흐르는 동안 다른 사람의 사고 방식이 사실상 내 자신의 사고 방식으로 변한 것이다. 그래서 그런지 젊었을 때의 사고 방식과 노년이 되어 스스로 깨달은 사고 방식과는 종종 헷갈린다.

***

독선과 편견에 얽매이지 말고 진지하게 대화를 나눠라

내가 맨 처음으로 편견을 가진 것은 어린 시절에 들었던 도깨비나 망령 그리고 악몽에 대한 것들이지만 고전에 대한 믿음은 절대적이었다. 이러한 편견은 많은 고전을 읽거나 선생님으로부터 수업을 받는 동안 자연스럽게 익혀진 것들인데 그것을 믿고 따르는 정도가 남달랐다.

나는 1500년 간의 역사가 흐르는 동안 이 세상에는 문화적 양식이나 정신적 양심 같은 것은 존재하지 않는다고 믿었다. 양식이나 양심 같은 것들은 고대 그리스 로마 제국과 함께 사라져 버렸다고 생각했다.

예컨대 호메로스(고대 그리스의 시인. 유럽 문학에서 가장 오래된 서사시 「일리아스」와 「오디세이아」의 저자. 이 두 작품은 고대 그리스의 국민적 서사시로 문학 · 교육 · 사상에 지대한 영향을 주었다.)와 베르길리우스(로마 최대의 서사시인. 황제 아우구스투스 때의 궁정 시인으로 라틴 문학의 최고봉인 「아이네이스」 「에클로가에」 「농경시」의 저자)는 고전이기 때문에 위대하고, 밀턴(영국의 시인. 「실낙원」 「복낙원」의 저자)과 타소(16세기 이탈리아 최대의 서사시인. 르네상스 문학 최후의 시인으로 바로크 문학적 요소를 작품에 담음. 서사시 「리날도」 「해방된 예루살렘」의 저자)는 근세의 인물이기 때문에 볼 가치가 없다고 생각했다. 그렇지만 지금은 다르다. 지금에 와서는 300년 전의 사람이나 현재의 사람이나 마찬가지라는 것을 알게 되었다. 다만 그때나 지금이나 시대의 흐름에 따라 그 존재 방식과 관습이 변했을 뿐이지 사람의 본질은 차이가 없다.

동식물이 1500년 전이나 300년 전과 비교해 볼 때 조금도 진화하지 않은 것처럼 사람도 1500년 전이나 300년 전과 비교할 때 영리하거나 용감하거나 현명했다고 단정을 짓기는 어렵다.

학자처럼 행세하는 교양인은 자칫 고전에 집착하고 그렇지 않은 사람은 현대적인 것에 광적으로 관심을 보이는 경우가 있다. 어쨌든 지금 나로서는 현대인이든 고대인이든 장단점이 있다는 사실을 뒤늦게나마 깨달았으니 참 다행스럽다. 나는 고전과 마찬가지인 종교에 대해서도 상당히 독선적인 편견을 가지고 있었다. 한때는 영국 국교를 믿지 않으면 설령 가장 정직한 사람이라 해도 구원을 받지 못할 것이라고 생각했다. 그 당시에는 사람의 의견이나 생각이 아주 쉽게 바뀔 수 있다는 것과, 자신의 의견이 다른 사람의 의견과 당연히 다른 것처럼 다른 사람의 의견도 나의 의견과 당연히 다르다는 것을 받아들일 수 없었다. 이처럼 의견이 다르더라도 서로가 진지한 이해를 통해 너그럽게 넘겨야 된다는 사실조차 난 몰랐다.

앞서 말했지만 또 다른 독선적인 생각인데 언뜻 보기에 사교라는 것도 인기를 위해 한량처럼 보이는 것이라고 굳게 믿었다. 지금 생각해 보면 너무나 어리석은 생각이었다. '놀기 잘하는 한량' 으로 보이는 것이 인기가 있다는 말에 나는 깊이 생각할 여지도 없이 그냥 그대로 실천했다. 그것은 사람들에게 잘 보이려는 마음이 앞섰기 때문이 아닐까. 그러나 그 나이에 당연한 일이겠지만 지금은 그런 것에 연연하지 않는다. 자기들이 놀기 잘하는 한량이라고 으쓱대며 폼을 잡아도, 아무리 지식이 있어 보이는 일명 훌륭한 신사라 할지라도, 놀기 잘하는 한량이라면 단지 일생 일대의 오점에 불과하다. 그들이 인정을 받고 싶어하는 사람들로부터 오히려 낮은 평가를 받을 뿐이다. 게다가 자기 자신의 결점을 숨기기는커녕 보이지 않는 결점까지도 드러내게 된다. 그러니 편견이 얼마나 무서운 것이냐.

***

판단하는 습관을 길러라

그러나 네가 가장 명심해 주기 바라는 것은 일반적으로 잘못된 사고 방식에 물든 경우이다. 그런 사고 방식은 이해력도 훌륭하고 마음가짐도 건전한 사람들이 어쩌다 진리 추구를 게을리 하거나 집중력과 통찰력을 그대로 방치해서 오는 경우이다.

역사가 시작된 이래로 사람들은 흔히 믿고 있다. '전제 정치 아래서는 참다운 예술이나 과학이 발전하지 못한다' 고, 그런데 과연 자유가 없다고 해서 재능도 말살되는 것일까? 이런 생각은 언뜻 듣기에 매우 그럴듯하게 들리겠지만 나는 그렇게 생각하지 않는다.

만약 농업과 같은 기술이라면 정치의 형태에 따라서 소유권이나 이익이 보장되지 않는 한 분명 발전하기 어렵다. 그렇지만 전제 정치가 수학자나 천문학자 또는 웅변가 등의 재능을 억압할 수 있다고 생각하는데 과연 맞는 말일까? 그러나 그런 예를 들어 본 적이 없다. 분명한 것은 시인이나 웅변가의 처지에서 볼 때, 좋아하는 주제를 마음대로 표현할 수 없다는 것이 억압일 수 있다. 그렇다고 정열의 대상을 상실하는 것은 아니다. 만일 재능이 있다면 그것까지 빼앗길 염려는 없다. 무엇보다도 이런 생각이 잘못되었음을 입증한 사람은 프랑스 작가들이다. 코르네유(프랑스의 극작가 · 시인, 고전 비극의 선구자. 대표작 「티모크라트」), 라신(프랑스의 극작가 · 시인, 코르네유 · 몰리에르와 더불어 프랑스 3대 고전주의 극작가. 대표작 「베레니스」), 몰리에르, 브왈로(프랑스의 시인 · 비평가), 라 퐁텐(프랑스의 고전주의 시인. 우화 작가. 대표작 「우화집」) 등은 아우구스투스(본명 가이우스 옥타비아누스. 로마 제국의 초대 황제) 시대와 필적할 만하다고 생각되는 루이 14세(프랑스 부르봉 왕조의 제3대 왕)의 독재 아래서 그 재능을 꽃피웠다.

아우구스투스 시대의 훌륭한 작가들이 재능을 발휘한 것은 잔혹하고 무능한 황제가 로마 시민의 자유를 억압한 직후였다. 또한 활발한 서신 왕래도 자유가 없었을 때의 일이다. 절대적인 권력을 행사했던 교황 레오 10세 그리고 근래에 볼 수 없었던 독재자 프란시스 1세의 통치 아래서 장려되고 보호되었다.

그러나 부디 내 말을 오해하지 마라. 나는 결코 전제 정치를 옹호하지 않는다. 독재는 내가 가장 싫어하는 것으로 인간의 기본적 권리를 크게 침해하는 범법 행위이다.

명언 한마디

* 바보는 말 못하는 어리석은 자이다. 하지만 말 잘하는 어리석은 자보다 낫다.

라 브뤼예르

라 브뤼예르: 프랑스의 모럴리스트. 변호사를 하다가 콩데 공가의 가정교사가 됨. 그의 작품으로는 「사람은 가지가지」가 있는데, 그 작품은 사회의 풍속과 다양한 인상을 예리하게 묘사했다.

***

생각하지 않는 사람은 미래도 없다

조금은 이야기가 길어졌는데, 사물을 정확하게 보고 판단하는 습관을 길러라.

우선 현재의 네 생각을 하나하나 따져 보고 정말 자신의 생각대로 한 것인지 남들이 시켜서 한 것인지 편견이나 독선은 없었는지를 따져 보자. 편견을 버리고 여러 사람들의 의견을 진지하게 들은 다음, 옳은가 그른가 옳지 않으면 어떤 점이 옳지 않은가를 분별하고 그 점을 종합하여 자신의 생각을 정하기 바란다.

물론 누구의 판단이 항상 옳다고 말할 수는 없다. 경우에 따라서는 틀릴 수도 있다. 그러므로 이렇게 하는 것이 실수를 줄이는 최선의 방법이다. 그것을 보충해 주는 것이 책이고 또한 사람과의 교제이다. 그러나 책이든 교제든 너무 생각없이 믿고 무분별하게 받아들여서는 안 된다. 그것들은 어디까지나 사람에게 주어진 판단의 보조물에 불과하다. 살다 보면 번거롭고 귀찮은 일이 여러 가지로 많겠지만 그것들 중에서도 특히 싫어하는 것은 '생각하는 일'인데 이 일만큼은 머리가 복잡하더라도 절대 피하지 마라.

스스로 자만의 함정에 빠지지 않도록 억제하라

아무리 어질고 착한 행동이라 해도 그에 못지 않은 단점이나 부작용이 있다. 그렇기 때문에 자칫 실수를 할 수 있다. 다시 말해 너그럽게 받아들이거나 용서가 지나치면 버릇이 없게 되고, 절약이 지나치면 구두쇠가 되고, 용기가 지나치면 함부로 날뛰게 되고, 신중이 지나치면 비겁해진다. 위에서 말한 것처럼 언제나 지나침이 없도록 조심하고 장점이나 단점이 무엇인가를 분별한 다음 그것을 행동으로 옮길 필요가 있다.

부도덕한 행위라는 것은 그 자체가 아름답지 못하다. 그러니 우연히 마주친다 해도 무의식적으로 눈을 돌리게 된다. 물론 부도덕한 행위가 잘 위장되면 이야기는 다르다. 그렇다고 해도 더 이상은 관심을 끌지 못한다. 그 반면에 도덕적인 행위는 아름답다. 그것은 처음 보았을 때부터 관심을 갖게 되고, 보면 볼수록 알면 알수록 마음이 끌린다. 아름다운 행위 또한 늘 그렇지만 점점 감동을 받는다. 올바른 판단이 요구

되는 것은 바로 이때이다. 도덕적인 행위를 끝까지 지속하고 그 장점을 끝까지 유지하려 한다면, 지나칠 정도의 감동을 주고자 하는 자신을 꾸짖어 제자리로 돌려야 한다. 내가 이런 말을 꺼낸 것은 다름이 아니다. '학식이 풍부하다' 하는 것은 때때로 장점이 되기도 하지만 단점이라는 함정에 빠질 수도 있다는 사실을 알려 주기 위해서이다. 올바른 판단력이 없다면 아는 것이 많아도 '아니꼽다' 든가 '아는 체한다' 는 등 엉뚱한 오해를 사거나 험담을 듣게 된다. 너도 조만간에 많은 지식을 쌓게 될 것이다. 그때를 대비하여 흔히 보통 사람들이 빠지기 쉬운 그런 함정에 빠지지 않도록 주의하기 바란다.

***

많이 배울수록 아는 체하거나 잘난 체하지 마라

배운 것이 많은 사람은 자기 지식만 믿고 남의 의견에 귀를 기울이지 않거나 무시하는 경향이 있다. 또한 일방적으로 자기 생각을 강요하거나 마음내키는 대로 결정을 한다. 그렇게 하면 과연 어떤 결과가 나타날까? 그렇게 일방적으로 결정하면 상대방은 자존심에 상처를 입어 어느 순간 순순히 따르지 않고 거칠게 화를 내며 반발할 것이다. 확신이 서는 일이라 할지라도 시간적인 여유를 가지고 나서라. 의견을 말할 때에도 딱 잘라서 말하지 마라. 이때 상대방을 설득하고 싶다면 먼저 상대방의 의견에 차분히 귀를 기울이는 것이 바람직하다. 그리고 그런 정도의 겸손함은 있어야 한다. 만약에 네가 건방지고 무식한 사람이라는 말을 듣지 않으려면 자기 지식을 내세우지 말고 주위 사람들과 마찬가지로 평범하게 이야기하는 것이 좋다. 또한 거창하게 말하기 보다는 아는 그대로 내용만을 전달하면 된다. 상대방보다 조금이라도 잘난 체하거나 많이 배운 것처럼 행동을 해서는 안 된다.

지식이란 마치 회중시계처럼 호주머니 속에 넣어 간직하면 된다. 자랑삼아 호주머니 속에서 꺼내거나 시간을 묻지도 않았는데 구태여 남에게 보여 줄 필요도 없다. 시간을 물어 올 때에만 알려 주면 된다. 지식은 자신이 갖추고 있지 않으면 안 되는 유용한 장식품과 같아서 갖추지 않으면 크게 창피를 당하게 된다. 그와 반대로 많은 지식을 쌓았다고 하더라도 앞서 지적한 잘못을 저지른다면 비난의 대상이 되니 부디 조심하기 바란다.

명언 한마디

* 만일 당신이 인생에서 성공을 원한다면 많은 것들과 친해져야 한다. 인내심은 당신의 소중한 친구로, 경험은 친절한 상담자로, 신중함은 당신의 형으로, 희망은 늘 곁에서 지켜 주는 부모처럼 친해져야 한다.

J. 애디슨

J. 애디슨: 영국의 수필가·정치가. 「스펙테이터」지를 창간했으며 수필집 외에 소설 「전쟁」 「카트」 등이 있다.

세상은 머리로만 사는 것이 아니다

오늘은 먼 친척 뻘되는 훌륭한 신사가 찾아왔다. 그분과 함께 저녁 식사를 하면서 한때를 보내게 되었는데 나는 너무 지쳐서 녹초가 될 만큼 피곤했다. 아니 질려 버렸다는 말이 더 맞을 것이다. 이렇게 말하면 너는 "왜 피곤했어요. 오히려 즐거운 것이 아닌 가요"라고 의아하게 묻겠지만 정말로 견디기 힘든 시간이었다.

그분은 예의도 없거니와 대화의 기본조차도 모르는 이른바 앞뒤가 꽉 막힌 '바보 학자' 였다. 일상적인 말을 그분은 '근거도 없는 시시한 이야기' 쯤으로 몰아붙친다. 정말 이 이야기는 근거가 있는 것뿐이었다. 그래서 말인데 나는 짜증이 났다. 줄기차게 근거를 갖다 대는 것보다 차라리 근거가 없는 가벼운 잡담이 마음을 편안하게 할텐데 말이다.

아마도 그분은 오랫동안 연구실에 틀어박혀 오직 하나 자기 주장을 펴기 위한 일에 몰두했을 것이다. 그분은 말끝마다 자기 주장을 내세운다. 내가 조금이라도 거기에서 벗어나는 말을 하게 되면 눈을 부릅뜨고 성을 낼 정도이다. 그분의 주장은 거의 확실하고 일리가 있다. 그러나 유감스럽게도 현실성이 떨어졌다. 너는 그 이유를 알겠느냐? 그분은 책만 열심히 보았지 사람들과 어울리지 않았다. 그렇기 때문에 비록 학문은 깊을지 몰라도 사람들과의 관계는 전혀 그렇지 않다. 그분은 자기 생각을 말로 표현할 때에도 서투르고 자연스럽지 못했다. 더군다나 입에서 말이 쉽게 나오지도 않고 계속 이어지지도 않았다. 그토록 그분의 말투는 무뚝뚝하고 어설펐다. 솔직히 말해서 나는 그때 이런 생각이 들었다. 아무리 학식이 풍부하고 훌륭한 사람이라 할지라도 이런 분과 꼭 이야기를 해야만 한다면 차라리 교양은 없어도 세상살이를 아는 수다쟁이와 이야기하는 편이 훨씬 더 낫다고 말이다.

***

세상살이를 모르는 이론은 사람을 피곤하게 한다

세상이 틀에 박힌 듯 돌아가지 않는다는 것을 아는 사람들에게 비현실적인 학자의 이론은 피곤하다.

예를 들어 "세상은 그렇게 단순하지 않아요"라고 말참견을 하면 그때부터 논쟁은 시작되고 밤새도록 끝없다. 뿐만 아니라 그런 사람은 이쪽 말에는 귀도 기울이지 않는다. 어쩌면 그것이 당연하다. 상대는 오랜 동안 옥스퍼드 대학이나 캐임브리지 대학에서 연구를 한 사람이니까.

그는 사람의 두뇌 · 심리에 관한, 이성 · 의지 · 감정 · 감각 · 감상 등등 보통 사람으로서는 생각이 미치지도 못하는 영역까지 세분화시켜 연구했다. 또한 철저히 분석하여 자기 학설을 정립했으므로 쉽사리 뒤로 물러설 이유가 없다. 그러니 자기 주장이 옳다고 말하는 것이 어찌 보면 당연하다. 나는 그것 나름대로 훌륭한 면이 있다고 생각한다. 곤란한 것은 그가 실제로 사람을 연구한 적도 없고 어울린 적도 없다. 그러기 때문에 세상에는 다양한 사람들이 살고 있다는 것, 갖가지 습관 · 편견 · 기호가 있다는 것, 그리고 그것들이 복합적으로 이루어졌다는 것을 모른다.

예를 들자면 연구실에서 '인간은 칭찬을 받으면 기뻐한다' 라는 식의 이론을 발견했다. 자신이 그것을 실천하려 할 때 그 방법을 몰라서 시도 때도 없이 칭찬을 할 수밖에 없다. 이쯤되면 결과가 어떻게 되리라는 것은 보지 않아도 뻔하다. 칭찬했다고 생각하는 말이 때와 장소에 적절하지 않았거나 기회가 좋지 않았다면 차라리 아무 말도 하지 않는 편이 낫다. 그러나 그들은 머리 속이 자신만의 생각으로 가득 차 있다. 그러니 주위 사람들이 지금 어떤 상황에 처해 있으며 무슨 이야기를 하고 있는지도 모른다. 또한 관심도 없다. 따라서 그는 때와 장소를 가리지 않고 칭찬을 하는데 정작 칭찬을 받는 쪽에서는 어리둥절할 것이 분명하다. 또한 무슨 말을 엉뚱하게 할런지 몰라서 매우 난감해 할 것이다.

***

사람은 순간적으로 변하는 존재이다

세상 물정에 어두운 학자들은 아이잭 뉴턴이 프리즘을 통하여 빛을 보았을 때처럼 사람을 몇 가지 빛깔로 분류해서 본다. 이 사람은 이 빛깔 저 사람은 저 빛깔이라는 식으로 말이다. 그러나 경험이 풍부한 염색업자는 그렇지 않다. 빛깔에는 명도(색상의 밝고 어두운 정도)와 채도(색상의 선명한 정도)가 있고 하나의 빛깔로 보여도 그것은 여러 가지 빛깔이 혼합되어 있다는 사실을 말이다.

본래 사람은 한 가지 색깔로 한정을 지어 말할 수는 없다. 얼마쯤 다른 색깔이 혼합되어 있거나 명암이 들어가 있다. 그것뿐이 아니다. 비단(명주실로 두껍고 광택이 나게 짠 피륙을 통틀어 이르는 말)이 빛의 각도나 강약에 따라 다양한 색깔로 비치듯이 자신이 처한 환경과 상황에 따라 각양각색으로 변하는 것이 사람이다. 이와 같은 이치는 누구나 다 알고 있다. 그러나 세상을 등지고 오직 연구실에 틀어박혀 한곳으로 몰두하는 학자들은 그런 것을 모른다. 그것은 머리로 생각해서 알 수 있는 것이 아니다. 그러니 연구한 것을 실천하려고 해도 앞뒤가 맞지 않아 생각만큼 그 뜻을 전달하지 못한다.

즐겁게 춤을 추고 있는 것을 보지 못한 사람이나 춤을 배운 적이 없는 사람은 아무리 악보를 볼 줄 알고 멜로디나 리듬을 이해했다고 해도 춤을 추지는 못한다. 그런 까닭에 자신의 눈과 귀로 직접 보고 들어서 세상을 이해하는 사람과는 전혀 다르다. 현실적으로 '칭찬하는 효과'를 안다면 어떤 상황이 칭찬할 때인가를 정확하게 안다. 달리 말한다면 환자의 체질과 건강 상태에 따라 처방이 가능해지는 것과 같은 이치이다. 그러나 그들은 좀처럼 드러내어 칭찬을 하는 경우가 드물다. 완곡하게 간접적으로 또는 비유를 통해 암시적으로 칭찬을 한다. 이처럼 머리로 생각하는 것과 현실의 차이는 크다.

***

책에서 배우고 생활을 통해서 실천해라

너는 지식도 인격도 뒤떨어지는 사람이 월등한 사람들을 상대로 거침없이 대하고 능숙하게 다루는 모습을 본 적이 있느냐. 나는 지금까지 여러 차례 그런 경우를 보았다. 그 사람이 자기보다 월등한 사람들을 통솔할 수 있었던 것은 세상을 사는 지혜가 뛰어나기 때문이다. 즉, 지식과 인격은 월등하지만 세상 물정을 모르는 그들의 약점을 찾아내어 그들을 마음대로 움직인다.

자기 체험을 통하여 세상을 알게 된 사람은 단지 책을 통하여 세상을 아는 사람들과는 근본적으로 다르다. 그것은 잘 길들여진 노새가 말보다 훨씬 더 쓸모가 있다는 얘기와 같다. 이제는 너도 지금까지 공부해 온 것과 보고 들은 것을 토대로 판단력과 분별력을 키워라. 그리고 행동 양식이나 인격, 예의 범절 등을 익혀 세상을 더 배우고 그것을 갈고 닦아라.

그런 의미에서 사회 과학책을 보면 도움이 되고 또한 책의 내용과 현실을 비교하다 보면 더 좋은 공부가 된다.

예컨대 오전 중에는 라 로슈푸코(프랑스의 고전 작가. 「잠언과 고찰」「회고록」 등의 저서가 있음) 공작의 잠언집을 읽고 깊이 헤아려 살폈다고 하자. 그러면 그날 밤 사교장에 가서 현실과 이론의 차이를 비교해 보면 좋다. 이번에는 라 브뤼예르(프랑스의 모럴리스트. 주요 저서로 「사람은 가지가지」라는 것이 있는데, '여성에 대하여' '궁정에 대하여' 등 16장으로 되어 있음)의 책을 읽고 거기에 묘사되어 있는 사교장의 세계가 현실적으로 어떻게 전개되고 있는지를 직접 체험하는 것도 매우 흥미로운 일이다. 이와 같이 미리미리 미묘한 심리나 감정의 동요에 관련된 책들을 읽어두면 유익하다.

그렇게 했다고 하더라도 실제로 사회에 발을 들여놓고 직접 관찰하지 않으면 모처럼 얻은 지식도 산지식이 되지 못한다. 오히려 그릇된 방향으로 끌려가게 될지도 모른다. 즉, 방안에서 세계 지도를 펼친다. 그리고 그것을 제아무리 뚫어지게 쳐다본들 세상의 이치를 알 수 없는 것과 같은 이치이다.

대중적인 화술을 익혀라

오늘은 영국에서 율리우스력(태양력의 한 가지로 율리우스 카이사르가 제정한 달력. 4년마다 하루의 윤일을 두었다.)을 그레고리력(로마 교황 그레고리우스 13세가 종래의 율리우스력을 개량하여 만든 태양력으로 현재 세계의 공통력으로 사용하고 있다.)으로 개정할 당시의 이야기이다. 이것은 틀림없이 너에게 참고가 될 것이다.

율리우스력은 태양력을 11일이나 초과하기 때문에 누구나 정확하지 못한 달력으로 인정하고 있다. 그것을 개정한 사람이 교황 그레고리우스 13세이다.

그레고리력은 즉시 유럽의 가톨릭 국가에서 사용했고 이어서 러시아와 스웨덴, 그리고 영국을 제외한 모든 프로테스탄트(신교도. 종교 개혁의 결과로 생긴 기독교의 여러 파와 그 이후의 분파를 통틀어 일컫는 말) 국가에서도 사용하기 시작했다.

나는 유럽의 주요 국가들이 그레고리력을 채택한 반면에 영국만이 오류 투성이인 율리우스력을 고집한 것에 대하여 명예롭지 않다는 생각이 들었다. 그런 생각은 나뿐만이 아니라 해외를 자주 왕래했던 정치가들이나 무역상들도 마찬가지이다. 그래서 나는 영국의 달력을 바꾸기 위해 여론 수렴은 물론 법안까지 상정키로 했다. 먼저 우리 나라를 대표할 만한 훌륭한 몇몇 법률가와 천문학자의 도움으로 법안을 만들었다. 법안의 내용에는 전문적인 법률 용어와 천문학과 관련된 계산들이 아주 많았는데 이 법안을 제안한 사람은 그 어느쪽도 모르는 나였다. 법안을 만들기 위해서는 나에게도 얼마간의 지식이 있다는 것을 의회 사람들에게 알리고 또한 의원들에게 이해시킬 필요가 있었다.

내 생각에 있어서 천문학을 설명하는 것은 켈트(Celt: 유럽 인종의 하나, 아일랜드 · 스위스 · 스코틀랜드 등지에 살고 있는 민족)어나 슬라브(Slav: 유럽의 동부 및 중부에 사는 아리안계 민족을 통틀어 이르는 말)어를 배워서 그 언어로 말하는 것 이상으로 의원들 편에 서서 보면 천문학 이야기 따위는 흥미가 없을 것으로 예상했다. 그래서 나는 내용의 설명이나 전문 용어의 나열은 생략하고 의원들의 마음을 붙잡는 일에만 온 힘을 기울였다.

나는 이집트력에서부터 그레고리력에 이르기까지의 경위만을 이따금 일화를 섞어 가면서 재미있게 설명했다. 이때 말씨나 어법 · 단어 선택 · 몸동작에 특히 신경을 썼는데 이것은 성공적이었다. 이런 방법은 앞으로도 계속 성공할 것임에 틀림이 없다. 나는 의원들이 납득했을 것 같다는 기분이 들었다. 과학에 대한 설명 같은 것은 거의 하지 않았고 또 그렇게 할 생각도 없었다. 그 결과 여러 의원들이 나의 설명으로 모든 것을 확실히 알게 되었다고 발언했다. 나의 제안 설명에 이어서 법안을 만드는 것과 통과를 돕기 위해 누구보다도 힘을 써준 유럽 제일의 수학자이자 천문학자인 마크레스필드 경이 전문적인 것을 설명해 주었는데, 그의 설명에는 별로 흥미가 없었던지 실로 묘한 일이지만 나에게 아낌없는 찬사를 보냈다. 바로 세상이란 이런 것이다. 이와 같이 똑같은 내용을 전하더라도 어떻게 말하느냐에 따라 그 결과는 크게 달라진다.

너도 기억나는 일이 있을 것이다. 말을 걸어 온 사람의 목소리가 거칠고 어색한 말투이거나 논리에 맞지 않으면 앞뒤가 헷갈린다. 그럴 때 말의 내용과 상관없이 건성건성 듣게 될 뿐만 아니라 그 사람에게 관심조차도 보이질 않는다. 적어도 나는 이렇게 생각한다. 그런데 이와는 정반대로 화술이 뛰어난 사람은 말의 내용까지 훌륭하게 들리고 심지어 그 사람의 인격에도 관심을 갖게 된다.

명언 한마디

* 대개 행복하게 지내는 사람은 노력가이다. 게으름뱅이가 행복하게 사는 것을 보았는가! 노력의 결과로써 오는 어떤 성과의 기쁨없이는 그 누구라도 참된 행복을 누릴 수 없다. 따라서 수확의 기쁨은 그 흘린 땀에 정비례하는 것과 같다.

윌리엄 블레이크

윌리엄 블레이크: 영국의 시인이며 화가로서 시대를 앞선 감각과 감성을 가진 사람. 주요 작품 「결백의 노래」「경험의 노래」 시집 「아메리카」「유럽」「유리젠서(書)」

***

연설은 결코 내용이 아니라 매혹적인 화술이다

만일 네가 내용과 논리에 맞는 말을 잘한다고 하여 정계에 입문할 생각이라면 그것은 터무니없는 일이다.

사람들 앞에서 말을 할 때에는 내용이 아니라 얼마만큼 술술 막힘이 없이 잘하느냐 못하느냐가 그 사람에 대한 평가의 기준이 된다.

사적인 모임에서 사람들의 마음을 사로잡으려 할 때나 혹은 공식적인 자리에서 청중을 설득하고자 할 때에는 말의 내용도 중요하지만 말하는 사람의 분위기 · 표정 · 품위 · 목소리를 비롯하여 사투리의 사용 여부, 강조하는 대목, 억양 등에 관한 사소한 부분이 더 중요하게 작용한다. 다시 말해서 표현의 형식이 결과를 좌우한다고 할 수 있다.

나는 피트 씨와 스트마운트 경의 백부(큰아버지)인 법무 장관 뮤레이 씨가 우리 나라에서는 가장 연설을 잘하는 사람으로 생각된다. 이 두 사람 외에는 영국 의회를 조용하게 할 사람 즉, 과열된 논쟁을 진정시킬 만한 사람은 없다. 이 두 사람의 연설은 소란스런 의회를 정숙하게 만들고 의원들이 입을 다문 채로 열심히 듣게 하는 힘이 있다. 그분들이 연설을 할 때에는 바늘이 바닥에 떨어지는 소리조차 들릴 정도로 조용하다. 무엇 때문에 이 두 사람의 연설이 그런 힘을 가지고 있는 것일까? 연설 내용이 훌륭하기 때문일까? 아니면 정확한 근거를 내세우기 때문일까? 나도 그분들의 연설에 푹 빠진 사람 중의 하나이다. 집으로 돌아와서 그 연설이 무엇 때문에 그토록 사람들을 푹 빠지게 했을까 하고 곰곰이 생각해 보았더니 놀랍게도 내용은 별로 없고 논제도 설득력이 없는 경우가 많았다. 그러니까 그 연설은 겉치레로 포장된 것에 불과했다.

진솔하고도 논리 정연한 화술은 두세 명 정도의 개인적인 모임으로 볼 때에는 설득력도 있고 매력도 있을지 모르겠다. 그러나 많은 사람들을 상대로 한 공식 석상에서는 통하지 않는다. 바로 세상이란 이런 것이다.

연설을 들을 때 사람들은 어떤 가르침을 받기보다는 즐겁게 들을 수 있는 쪽에 마음이 쏠린다. 사실 남에게 가르침을 받는다는 것은 썩 유쾌한 일이 아니다. 그것은 남에게 무식하다는 말을 듣는 것과 같다. 덧붙여 아낌없는 찬사를 받으려면 우선적으로 목소리가 좋아야 한다. 그렇다면 연설을 능숙하게 못하는 우리나라 사람들 중에서도 특히 너는 진지하게 한 번쯤은 생각해 볼 가치가 있다.

말을 잘하려면 끊임없이 노력해라

말을 잘하는 사람이 되고 싶다면 어떻게 해야 할까? 우선 말을 잘해야겠다는 목표를 세운 다음 그것을 위해 책을 읽거나 문장 연습을 집중적으로 한다. 그리고 자기 자신에게 이렇게 다짐해라. 나는 사회에서 인정을 받고 싶다. 그러기 위해서는 말을 잘해야 한다. 이때 일상을 통하여 대화를 갈고 닦고 그 다음은 정확하면서도 품위를 잃지 않는 화술을 익혀라. 동시에 고전이든 현대든 저명한 웅변가의 책을 많이 읽자. 오직 말을 잘하기 위해서는 그것을 꼭 읽어야 한다고 자기 자신을 독려하자. 책을 읽을 때에는 문체나 어법에 주의하고 어떻게 하면 좀 더 나은 표현이 될까. 만약 똑같은 글을 쓰더라도 저자에 따라서 표현이 어떻게 다른가. 표현이 다르면 똑같은 내용이라도 인상이 얼마나 달라지는가를 주의 깊게 살펴라. 아무리 내용이 훌륭하다고 한들 말하는 습관이 우습거나 문장에 있어서 품위가 없다. 그리고 문체가 어울리지 않을 때 얼마나 흥이 식는지를 관찰해 두는 것이 좋다.

***

말을 할 때에는 개성이 있어야 한다

아무리 자유로운 대화라고 해도 아무리 친한 사람에게 보내는 편지라고 해도 자기만의 독특한 스타일을 갖는다는 것은 무엇보다 중요하다.

이야기를 하기 전에 미리 준비를 하지 못했다면 이야기가 끝난 뒤에라도 좀 더 말을 잘할 수는 없었을까? 반성을 하면 화술에 도움이 된다.

너는 우리의 마음을 사로잡는 배우들이 어떤 식으로 말을 하는가에 대하여 주의 깊게 관찰해 본 적이 있느냐. 잘 관찰해 보면 알겠지만, 훌륭한 배우는 분명한 발음과 정확한 말씨에 중점을 둔다. 말이란 상대방에게 개념을 전달하는 것이다. 그러니 개념이 제대로 전달되지 않는 말과 듣고 싶지 않은 말을 한다는 것은 어리석은 짓이다.

이런 문제와 관련된 것은 하트 씨에게 부탁하면 된다. 날마다 큰소리로 책을 낭독하고 그것을 들어 달라고 부탁해라. 어디쯤에서 숨을 쉬고 이어가는지, 강조를 할 때에는 어떻게 하는지, 읽는 속도는 어떤지 등을 그때그때 그 대목을 중단하고 도움말을 청해라.

혼자서 낭독 연습을 할 때에도 자신의 목소리를 주의 깊게 듣는 것이 매우 중요하다. 처음에는 천천히 읽어서 빨라지기 쉬운 말버릇을 고쳐라. 너의 발음에는 걸리는 듯한 느낌이 있는 데 빨리 말하면 제대로 알아듣기 어려울 때가 있다. 즉, 발음하기 어려운 'r' 이다. 이 발음이 완벽하게 될 때까지 계속 연습을 해라.

또한 사회적으로 논쟁이 될 만한 몇 가지 문제를 선택한 다음 그것에 관하여 제기 가능한 찬성 의견과 반대 의견을 머리 속으로 떠올려 보아라. 그리고 논쟁이 될 만한 부분을 품위 있게 고쳐 보면 유익한 공부가 된다.

가령 군대의 존재 여부에 대하여 찬반을 묻는다. 반대 의견의 하나는 강력한 군대가 주변 국가에 위협을 줄 수 있다는 것과 또 다른 하나는 힘에는 힘으로 대항할 필요가 있다는 찬성 의견이 그것이다. 이와 같이 찬반이 가능한 양론을 생각해 볼 때, 본질적인 면에서 악이 되는 군대가 상황에 따라서는 자국의 불행한 사태를 방지할 수 있다는 전제가 성립되면 이것이 필요악이다. 이와 같은 논제 형식을 과제로 삼아 그것을 정리한 뒤 논리에 맞는 문장으로 꾸며 보자. 그러면 토론 연습은 물론 능숙한 말솜씨를 익히는 데에도 도움이 된다.

***

청중들은 자신의 입맛대로 선택한다

상대방을 사로잡으려면 우선 그 사람을 과대 평가하지 않는 것이 중요하다고 말한 적이 있다. 마찬가지로 연설에 있어서도 청중을 과대 평가하지 않는 것이 중요하다.

내가 처음 상원에 진출했을 때, 의회는 당연히 존경할 만한 사람들이 모여 있는 곳이라고 생각했다. 그래서 그런지 줄곧 위압감을 느끼게 되었다. 그런데 그것도 잠시일 뿐 의회의 실상을 알고 나니 그런 생각은 이내 사라졌다. 나는 알았다. 즉 560명의 의원들 중에서 사려가 깊은 사람은 겨우 30명 정도이고 나머지 의원들은 거의 보통 사람들과 다를 바가 없었다. 또한 품격이 있는 말씨로 알찬 연설을 할 수 있는 사람도 30명 정도뿐, 나머지 의원들은 내용이야 어떻든 간에 그냥 듣기에 좋으면 그것으로 만족하는 수준이다. 의회의 실상과 수준을 안 뒤로부터는 연설할 때에도 긴장이 풀였다. 그 후 전혀 의원들을 의식하지 않은 채 오직 연설의 내용과 화술에만 정신을 집중시킬 수 있었다. 내 자랑은 아니지만 난 훌륭한 연설을 할 수 있다고 자부한다.

노련한 연설자와 제화공은 비슷하다. 그들은 청중이나 고객의 비위에 맞는 처신을 한다. 그리고 그 다음은 기계적으로 대처할 뿐이다. 만일 네가 청중에게 만족을 주려면 청중이 원하는 방향으로 따라 주지 않으면 안 된다. 그것은 청중의 취향까지 좌우할 수 없기 때문이다. 여러 번 말한 바와 같이 그들은 자기들의 오감(시각 · 청각 · 후각 · 미각 · 촉각)을 통해 마음에 드는 것만 받아들인다.

예컨대 라블레(프랑스의 소설가 · 의학자 · 인문주의 학자)는 처음부터 걸작을 썼지만 그 누구에게도 인정을 받지 못했다. 그러나 그는 그 이후로 독자의 입맛에 맞는 「가르강튀아와 팡타그뤼엘」이란 작품으로 갈채를 받기 시작했다.

사소한 일에도 최선을 다해라

지난번에 네가 지출한 것으로 여겨지는 90파운드짜리 지불 청구서가 내 앞으로 왔다. 나는 그 순간 지불을 거부하고 싶었다. 금액이 문제가 아니다. 이런 경우에는 미리 상의하는 편지를 쓰는 것이 당연했다. 그런데 네가 이 청구서에 관련하여 편지 한 장 없었다는 것이 그 이유 중의 하나이다. 그러나 그것 이상으로 언짢았던 것은 너의 서명이 어디에 있는지 도대체 알 수가 없었다. 이때 청구서를 들고 온 사람이 가리키는 곳을 돋보기로 본 후에야 비로소 너의 사인이 맨 귀퉁이에 있다는 것을 알았다. 나는 그것을 보고 처음에는 글씨를 쓸 줄 모르는 사람이 그냥 비표식으로 서명을 한 것이 아닌가 생각했는데 뜻밖에도 너의 서명이었다. 나는 이제까지 그렇게 작고 보잘것없는 서명을 본 적이 없다. 신사 또는 비즈니스 세계에 몸을 담고 있는 사람이라면 언제나 똑같은 필체로 서명을 하는 것이 관례로 되어 있다. 그렇게 함으로써 자신의 서명에 익숙해질 뿐만 아니라 위조까지 방지할 수 있다. 서명할 때에도 마찬가지로 다른 글자에 비해 좀 더 크게 써야 한다. 그런데 네 서명은 다른 글자보다도 오히려 작고 또한 보기에도 몹시 흉했다. 나는 이런 서명을 본 이후 네게 닥칠 갖가지 황당한 일들을 상상해 보았다. 만약 어느 각료에게 이렇게 서명한 편지를 보냈다고 하자. 결국 서명이 일반 사람과는 너무나도 달라 네 편지가 기밀 문서쯤으로 오인될 수 있다. 그렇게 되면 혹여 암호 해독자에게 넘겨질지도 모를 일이다.

예컨대 어떤 사람이 병아리를 보내는 척하고 상자 속에 사랑의 편지를 몰래 써서 보냈다. 그러면 그것을 받은 여자가 그 사랑의 편지를 닭장수가 보낸 것쯤으로 오인할 가능성이 있는 것과 마찬가지이다. (이것은 프랑스의 앙리 4세가 사랑의 편지를 보낼 때에 곧잘 썼던 수법으로, 이 때문에 오늘날에는 병아리나 짤막한 사랑의 편지를 poult이라고 한다.)

명언 한마디

* 위대한 사람이 단번에 그와 같이 높은 곳에 뛰어 오른 것은 아니다. 동료들이 단잠을 잘 때 그는 깨어서 일에 몰두했던 것이다. 인생의 묘미는 자고 쉬는 데 있는 것이 아니라, 한걸음 한걸음 앞으로 나아가는데 있다. 무덤에 들어가면 얼마든지 자고 쉴 수 있다. 자고 쉬는 것은 그때 가서 실컷 하도록 하자. 살아 있는 동안은 생명체답게 열심히 활동하자. 잠을 줄이고 한걸음이라도 더 빨리 더 많이 내딛자. 높은 곳을 향해, 위대한 곳을 향해.

로버트 브라우닝

***

일을 앞두고 우왕좌왕하지 마라

혹시 너는 상황이 여의찮아 그런 서명밖에 할 수 없었다고 변명할 것이다. 그렇다면 어째서 허둥대고 있었는가. 지성인은 서둘 경우는 있어도 허둥대는 일은 없다. 허둥댄다는 것은 일이 잘못되고 있다는 방증이다. 따라서 지성인이라면 일을 서둘러 끝마칠 경우는 있어도 급하다고 대강 끝내지는 않는다. 소심한 사람이 허둥대는 것은 대부분 일이 과중하고 힘에 부친다는 것을 알았을 때이다. 자신의 힘이 부치면 당황한 나머지 허둥댄다.

결국 중심을 잃고 뒤죽박죽 일 처리를 한꺼번에 하려다 그 어떤 것도 손을 대지 못한다. 그런 점에 있어서 분별력이 있는 사람은 다르다. 손을 대려고 하는 일에 대하여 마감 시간을 미리 정하고 그것을 완전히 마무리 짓는다.

행여 서두를 경우에도 한 가지 일을 일관되게 서둘러서 끝낸다. 너도 여러 가지 많은 일을 하기 때문에 충분한 시간이 없을 것이다. 그렇다고 일을 대충대충 하려면 차라리 절반은 확실하게 하고 나머지 절반은 남겨둔 채로 그냥 두는 편이 훨씬 낫다.

예컨대 시장 바닥에서 일하는 사람들처럼 생각이 못미칠 만큼의 글씨와 그런 품위 없는 짓은 하지 마라. 고작 몇 초간의 시간을 아꼈다고 해도 그 시간은 전혀 쓸모가 없다.

* 속이고 속이는 세상

요즘 세상은 명예로운 거래가 사라졌다. 또한 신뢰는 배신으로 돌아올 뿐 아무도 약속을 지키려들지 않고, 봉사를 많이 할수록 그 보상은 더욱 적어진다. 많은 나라의 백성들이 모두 속이고 속는 거래에 몰두한다.

어떤 사람을 대할 때에는 항상 배신을 두려워해야 하고, 또 다른 어떤 사람을 대할 때에는 약속을, 그리고 속임수를 걱정해야만 한다.

다른 사람들의 이러한 나쁜 행실은 우리에게 있어 모범이 아니라 경고가 되어야 한다.

이처럼 비열한 행동에 있어서 지금 우리의 성실함이 유린될까 두려워해야 한다.

발타자르 그라시안

발타자르 그라시안: 17세기 스페인 예수회 사제로 있으면서 학자·저술가로 활동했다. 신학교 교수 역임. 국왕의 고문. 주요 작품「세상을 보는 지혜」

6장

진정한 친구와 교제해라

자신의 앞날을 위해 어떤 만남이 좋을까

참된 우정이란 어떤 것인가

이 편지가 네게 도착할 즈음이면 너는 베네치아에서 흥겹게 놀고 쓰는 사육제(카톨릭 국가에서, 사순절 전 3일에서 1주일 동안에 걸쳐 거행되는 축제로 술과 고기를 먹고 가장 행렬 등을 하며 즐김. 카니발)를 끝내고 토리노로 옮겨 학업 준비에 여념이 없겠지. 나는 네가 토리노에 머무는 동안 열심히 공부를 해서 보다 많은 실력이 쌓이기를 간절히 바란다. 또한 그렇게 되지 않으면 곤란하다. 덧붙여 나는 전에 없이 너에 대한 걱정이 많은 것도 사실이다. 토리노의 전문 학교에는 평판이 나쁜 영국인이 꽤나 있다는 말을 들었다. 그래서 그런지 이제까지 네가 애써 쌓은 것을 무너뜨리지나 않을까 하는 생각에 불안하다. 그들이 어떤 사람들인지는 잘 모르겠다만 무리지어 다닐 때에는 거칠고, 난폭하고, 무례한 행동까지 한다더라. 그런 일들은 자기들끼리만으로 끝났으면 좋겠는데 그것으로 만족하는 사람들은 아닌 듯싶다. 자기들의 패거리가 되라고 압력을 넣거나 끈질기게 요구를 하는 모양이다. 그리고 그것이 마음대로 되지 않으면 이번에는 업신여기고 무시하는 방법을 쓴다. 이것이 사회 경험이 부족한 네 또래의 젊은이들에게는 먹혀들 가능성이 높다. 이 방법은 압력을 받거나 강제로 요구를 하는 것과는 비교도 안 된다. 그러니 이런 일에 말려들지 않도록 주의하기 바란다.

대부분의 젊이들은 어떤 부탁을 받았을 때 굳이 싫다고 딱 잘라 거절하지 못한다. 그렇게 하면 체면이 서지를 않고 또한 상대방에게 미안하다는 생각과 동료들로부터 따돌림을 당해 홀로 되고 싶지 않다는 생각이 들어서 그럴 것이다. 그런 생각 자체가 분명 나쁜 것은 아니다. 상대방의 뜻에 따라 기분을 맞춰 주려는 생각은 상대방이 좋은 사람이라면 좋은 결과를 낳는다. 그러나 그렇지 않을 경우에는 질질 끌려가다 결국은 최악의 상황을 부른다. 그러니 만일 자기에게 이롭지 않은 상황이라면 한시 바삐 결단을 내려 남의 나쁜 점을 흉내내지 않도록 해라.

명언 한마디

* 나의 천성적인 우울한 습성을 고쳐서 나의 청춘기를 다치지 않고 신선하게 그리고 새벽처럼 유지시켜 준 것은 결국 우정뿐이었다.

지금도 나는 이 세상에서 남자들 사이의 성실하고 훌륭한 우정만큼 멋진 것은 없다고 생각한다.

언젠가 고독이 찾아올 때 청춘이라는 향수가 나를 엄습한다면 그것은 오로지 학창 시절의 우정 때문일 것이다.

H. 헤세

***

겉만 번지르르한 관계는 우정이 아니다

토리노의 대학에는 다양한 학생들이 모여 있다. 그런데 그들과 지금 막 친해질 수도 있고 또한 친구가 될 수도 있다는 생각은 잘못이다. 그것은 당치도 않는 일이다. 진정한 우정은 쉽게 얻어지는 것이 아니다. 오랜 시간을 통하여 서로를 잘 알고 이해한 후가 아니라면 진정한 우정은 생기지 않는다. 다시 말해 겉치레 우정도 있다. 젊은이들 사이에서 흔히 보는 우정이 그것이다. 이런 우정은 고맙게도 잠깐 동안은 뜨겁지만 오래가지 못하고 곧 식어 버린다. 너도 우연히 서로 알게 된 몇몇 사람들과 함께 무분별한 행동을 하거나 놀이에 미친 적이 있을 것이다. 말하자면 즉흥적인 우정이다. 그렇게 술과 여자로 친해졌으니 진정한 우정으로 착각한다. 어쨌든 이것을 사회에 대한 반항쯤으로 여기면 애교가 있다. 그러나 진중하지 못하고 가벼운 그들이 현명할 리가 없는데도 자신들은 대하기 쉬운 관계를 우정이라고 말한다. 그런 그들은 함부로 돈을 빌려 준다. 또한 친구를 위한답시고 함께 어울려 싸움질을 한다. 그러다 일단 사이가 벌어지면 손바닥 뒤집듯이 상대방의 험담을 마구 털어놓고 다닌다. 결국 그것으로 모든 것이 끝장이고 두 번 다시 상대방을 배려하지 않는다. 오히려 지금까지의 신뢰를 배반하고 우롱하기를 계속한다.

네가 여기서 한 가지 주의해야 할 것은 친구와 놀이 상대는 다르다는 것이다. 함께 있는 것이 즐겁다고 해서 반드시 좋은 친구는 아니다. 의외로 부적절한 경우가 많다.

***

시시한 사람을 적으로 대하지 마라

어떤 친구를 사귀고 있느냐에 따라 어느 정도는 그 사람에 대한 수준이 평가된다. 이렇게 말한다고 해서 그것이 이치에 어긋나는 것은 아니다. 이것을 적절하게 표현한 말이 스페인에 있다.

"당신이 누구와 사귀는지를 알려 달라, 그러면 당신이 어떤 사람인지 알아맞히겠다."

부도덕하고 어리석은 사람을 친구로 사귀고 있는 사람은 그 사람 역시도 같은 부류가 아닐까, 이처럼 친구이기 때문에 같은 취급을 받게 된다.

여기서 주의해야 할 것은 부도덕한 사람이나 보잘것없는 사람이 다가왔을 경우 그들이 눈치채지 못하도록 피하는 것이 상책이다. 이때 필요 이상으로 매정하고도 쌀쌀하게 대하여 그들과 적이 될 것까지는 없다.

친구로 사귀고 싶지 않은 사람들이 있다 해도 그들을 적으로 간주한다면 곤란한 일이 생길 수도 있다. 만일 내가 그런 입장이라면 적도 아니고 내 편도 아닌 중립적인 입장을 취하겠다. 이것이 무난한 방법이다. 좋지 않은 행동은 밉겠지만 인간적인 면은 적대시하지 마라.

중요한 것은 상대방이 누구든 간에 듣기 좋은 말과 싫은 말, 좋은 일과 안 좋은 일을 분별하여 자기 자신을 다스리는 것이다. 그러니까 내가 평가를 하는 체하는 것은 나쁜 일이다. 또 상대방에게 불쾌감을 주고 나서도 사실은 그렇지 않다고 발뺌을 하는 경우가 있는데 그러면 오히려 상대방은 더 화를 내게 된다.

진정한 의미에서 볼 때 사리 분별을 정확하게 하는 사람은 극히 드물다. 대개는 쓸데없는 일에 마음을 빼앗겨 할말을 못하거나 그와 반대로 자기가 알고 있는 것과 생각하고 있는 것을 우연한 기회에 몽땅 털어놓아 스스로 적이 된다.

가능하다면 너보다 훌륭한 친구를 사귀어라

친구에 관한 이야기는 이 정도로 해 두고 다음은 어떠한 사람들과 사귈 것인가에 대하여 말하겠다. 우선은 나보다 훌륭한 사람들과 사귀도록 노력해라. 그런 사람들과 사귀면 자기도 그 사람들과 똑같이 훌륭하게 된다. 그와 반대로 자기보다 못한 사람들과 사귀면 자기도 그 정도의 사람뿐이 안 된다. 앞에서도 말한 것처럼 사람은 사귀는 상대에 따라서 어떻게든 변한다. 내가 여기서 훌륭한 사람들이라고 말하는 것은 가문이 좋다든가 지위가 높다든가 하는 의미는 아니다. 내실이 있는 사람들 즉, 세상 사람들이 훌륭하다고 평가하는 사람들을 말한다. 훌륭한 사람들이란 크게 말해서 두 부류가 있다. 첫째로는 사회 활동에 있어서 주도적이고 또한 사교계에서 화려하게 활동을 하는 사람들이다. 둘째로는 특별한 재능과 특정 분야에서 뛰어난 사람들이다. 그렇다고 해서 자기 스스로 훌륭하다고 떠벌리는 사람들은 아니다. 많은 사람들이 한결같이 훌륭하다고 인정해야만 한다. 거기에 몇 사람의 예외적인 인물이 포함되어 있는 경우는 무방하다. 오히려 그런 편이 바람직하다.

사귀기 위해 적합한 그룹이란 순전히 당당한 뱃심만을 가지고 가입하거나, 어느 저명 인사의 소개를 받아 가입할 수 있을 정도의 사람들이 모여 있어야 한다. 이런 곳은 각양 각색의 사람들이 뒤섞여 있어 풍부한 경험을 쌓을 수가 있다. 이렇게 갖가지 인격과 갖가지 가치관이 있는 사람들을 만난다는 것은 즐겁고도 유익한 일이다. 그런 그룹에는 대부분 훌륭한 리더가 있어서 눈살을 찌푸리게 하는 사람들은 절대로 가입하지 못한다. 훌륭한 사람들만의 그룹이란 그 지역 사회에서 신분을 인정하는 경우이다. 그렇다고 해도 머리가 텅비어 있거나 상식 밖의 행동을 하는 사람은 배울 점이 전혀 없는 불필요한 사람들이다.

학식이 풍부한 사람들만이 모인 그룹도 마찬가지이다. 그들이 사회로부터 정중한 대접를 받거나 존경을 받는 것은 사실이지만 사귀기에 적합한 그룹이라고 말하기는 어렵다. 앞에서도 자세히 말한 것처럼 그들은 자연스럽게 행동을 못한다. 또한 사회를 잘 모른다. 오직 알고 있는 것은 학문뿐이다. 그런 그룹에 가입할 만한 재주가 너에게 있다면 가끔 참여하는 것도 대단히 좋은 일이다. 그 일로 너에 대한 평판이 좋아지면 좋아졌지 나빠지지는 않는다. 그러나 그런 그룹에 빠져든다는 것은 좀 더 생각해 볼 문제이다. 이른바 세상 물정을 모르는 학자의 그룹으로 낙인이 찍히면 사회 활동에 걸림돌이 되지나 않을까 염려스럽다.

***

사람들은 네가 사귀는 상대를 보고 너를 평가한다

대부분의 젊은이들은 재능이 뛰어난 사람이나 작가들을 선망한다. 자기 자신이 재기 발랄하면 한층 더 우쭐해 할 것이고 그렇지 못한 사람은 그들과 사귀고 있다는 것 자체를 자랑한다.

아무리 재치를 겸비한 매력적인 사람과 사귈 경우라도 완전히 빠져들기 보다는 이성을 잃지 않는 범위 내에서 사귀는 것이 좋다. 재치라는 말은 좋은 의미로도 쓰이지만, 때에 따라서는 상대방을 불안하게 한다. 특히 이목이 집중될 때 그 날카로운 재치가 자신을 궁지로 몰 수 있다. 그것은 여성들이 총을 보고 두려워하는 것과 비슷하다. 왜냐하면 언제 안전 장치가 풀려 그 총알이 자신을 겨냥하게 될지 모르기 때문이다. 재능이 뛰어난 사람이나 예술가를 사귀는 것도 그 나름대로 매력이 있다. 그리고 즐거운 일이다. 다만 매력이 있다고 해서 다른 사람들과 어울리는 것을 소홀히 하고 특정한 몇몇 사람들과 사귄다는 것은 좀 더 생각해 볼 문제이다.

가능하다면 수준이 낮은 사람과의 사귐은 피하는 것이 좋다. 대부분 인격적으로나 사회적으로 지위가 낮은 사람들은 너와 사귀고 있는 것만을 자랑스럽게 생각할 것이다. 그런 사람은 너와 어울리기 위해서 너의 결점까지도 칭찬하며 비위 또한 맞추려 한다. 결코 그런 사람들과 가까이 해서는 안 된다. 이런 당연한 말에 너는 놀랄지도 모르겠다. 그러나 나는 수준이 낮은 사람과 사귀지 말라고 주의를 주는 것이 옳다고 생각한다. 그것은 분별력도 있고 사회적 지위도 확실한 사람이 수준이 낮은 사람과 어울려 신용을 잃거나 타락하는 경우를 수없이 보아 왔기 때문이다. 여기에서 가장 문제가 되는 것이 허영심이다. 허영심 때문에 인간은 불행한 일들을 수없이 저질러 왔다. 그리고 어리석은 행동을 하기에 이르렀다. 예컨대 어떤 면에서는 자기보다 수준이 낮은 사람과 사귀는 것도 허영심이다.

사람이라면 누구나 자기가 속한 그룹에서 제일이 되기를 바란다. 동료들로부터 칭찬을 받고 존경받기를 원하며 그들을 마음대로 부리고 싶어한다. 그런 시시한 칭찬을 받고 싶어서 자기보다 수준이 낮은 사람들과 사귈 때 너는 그 결과가 어떻게 될 것이라고 생각하느냐? 그렇다. 머잖아 자기도 그들과 똑같은 수준이 되어 버린다. 그렇게 되면 좀 더 훌륭한 사람들과 사귀려 해도 결국 그 뜻을 이루지 못한다.

거듭 말하지만 사람은 누구를 사귀느냐에 따라 자기의 수준이 올라가기도 하고 떨어지기도 한다. 그것은 네가 사귀는 상대를 보고 너를 평가하기 때문이다.

확고한 의지와 결심만 있다면 무엇이든 할 수 있다

처음으로 나는 사교장에서 멋진 사람들을 소개받았는데 지금도 기억이 생생하다.

케임브리지 대학을 갓 들어간 신입생 때의 일이다. 나는 눈앞에 있는 어른들이 눈부시고도 어렵게만 보였다. 때문에 긴장된 상태로 어찌할 바를 몰랐다. 그래서 그런지 나 자신에게 당황하지 말고 우아하게 행동할 것을 주문했다. 그러나 인사하는 것조차도 남보다 약간 머리가 숙여질 뿐 움직임이 부자연스러웠다. 심지어 남이 말을 걸어 오거나 내가 말을 걸려고 해도 온몸이 굳어 오는 것 같았다. 서로가 귓속말로 뭔가 소곤거리는 모습이 눈에 띄면 나를 흉보거나 바보 취급하는 것쯤으로 착각했다. 지금 돌이켜보면 나와 같은 풋내기 따위에게 신경쓸 사람은 전혀 없는 데도 말이다. 하지만 그때는 죄인이 감옥살이를 하는 심정으로 그 자리에 있었다. 만일 내가 눈앞에 있는 사람들과 사귀겠다는 강한 의지가 없었던들 아마도 난 쩔쩔매다 그 자리에서 물러서고 말았을 것이다. 그러나 나는 끝까지 어려움을 참고 견디면서 그 자리에 있었다. 그것은 사교 모임에 나를 적응시키려는 나의 확고한 신념이 있었기 때문이다. 그런 후로 한결 마음이 편해지는 것을 느꼈다. 조금 전과 같이 보기 민망한 인사도 하지 않았고, 누가 말을 걸어 오더라도 우물쭈물하거나 더듬거리지도 않게 되었다.

***

사교를 통하여 나 자신을 발전시켜라

몇몇 분들이 어떻게 처신해야 할지 몰라 곤혹스러워하는 나를 발견하고 이따금 내 곁에 와서 말을 걸어 주었는데, 마치 천사가 위로와 용기를 주기 위해 온 것이라고 생각했다. 정말이지 난 조금씩 용기가 생겼다. 그래서 아주 고상하게 보이는 부인에게 다가가서 "오늘은 날씨가 좋군요"라고 말을 걸었다. 그러자 이 부인은 아주 정중하게 "나도 그렇게 생각해요"라고 대답해 주었다. 그런 후 잠시 대화가 끊겼다. 이때 나로서는 무슨 말을 계속해야 좋을지 몰라 망서렸다. 때마침 부인이 다시 입을 열었다.

"너무 당황하실 필요는 없어요. 지금 나에게 말을 거는 데도 상당한 용기가 필요했던 모양이죠. 그렇다고 해서 여기 있는 분들과 사귀는 것을 단념해서는 안 돼요. 당신이 사귀고 싶어한다는 것을 다른 사람들도 다 알고 있어요. 그 마음이 중요해요. 그 다음은 그 방법을 몸에 익히는 거죠. 당신은 자신이 생각하고 있는 것만큼 사교에 서투르지 않아요. 사교에 익숙해진다면 곧 훌륭하게 될 수 있어요. 나는 당신이 원한다면 도울 수도 있고 기꺼이 친구들을 소개시킬 수도 있어요."

이 말을 듣고 내가 얼마나 기쁘고도 당황했는지 너는 상상할 수 있겠느냐? 그리고 또 내가 얼마나 어색하게 대답했는지 말이다. 나는 긴장이 되어서 몇 번이나 헛기침을 했다. 그렇지 않으면 목구멍이 막혀 어떤 소리도 낼 수 없을 것 같다는 생각이 들었기 때문이다. 그런 후 나는 가까스로 말문을 열었다.

"말씀 정말 고맙습니다. 제 행동에 자신이 없었던 것은 훌륭한 사람들과의 만남이 서툴기 때문입니다. 그래도 부인께서 저를 도와 주시겠다니 정말 고마울 따름입니다."

당시 나는 프랑스에 있었다. 나의 서툰 말이 채 끝나기도 전에 그 부인은 몇몇 사람을 불러모은 뒤 프랑스어로 이렇게 말을 했다.

"여러분! 나는 이 젊은이의 사교 활동을 돕기로 했습니다. 그것을 이 젊은이가 쾌히 승락했어요. 이 사람은 틀림없이 내가 마음에 든 모양이죠. 그렇지 않다면 내게 어렵사리 용기를 내어 '오늘은 날씨가 좋군요'라고 말을 걸어 오지 않았겠죠. 여러분들도 도와 주세요. 모두 함께 도와서 이 젊은이를 이끌어 줍시다. 이 젊은이에게는 본보기가 필요합니다. 그러나 만일 내가 이 젊은이에게 본보기가 못 된다면 다른 분을 찾겠지요. 그렇다고 오페라 가수나 여배우 같은 사람을 선택해서는 안 되죠. 그런 사람들과 어울리다 보면 세련되기는커녕 시간과 돈도 잃고 건강까지 해칩니다. 뿐만 아니라 사고 방식이 고루해질 것이고 더 나가 타락할 것이 뻔하니까요."

뜻밖에도 이 말에 몇몇 사람들이 웃었다. 나는 그저 무덤덤한 표정으로 서 있었는데 그 부인이 진심으로 말하고 있는 것인지 아니면 나를 놀리고 있는 것인지 알 수가 없었다. 아무튼 나는 부끄러운 생각이 들었지만 한편으로 기쁨과 용기를 얻었다.

난 그 부인의 진심을 나중에서야 알게 되었다. 그리고 그분이 소개해 준 다른 사람들 역시도 친절했다는 것을 알게 되었다. 나는 점점 자신감이 생기게 되었으며 이제는 아름답고 품위있게 행동하는 것이 쑥스럽지 않다. 더 나가 훌륭한 본보기가 있으면 열심히 그것을 따라하려고 노력했다. 그러다 보니 점점 자연스러운 상태로 따라할 수 있었고 결국에는 그 본보기에 내 나름의 방식을 덧붙일 수 있게 되었다. 너도 상대방로부터 호감을 사는 사람이 되고 싶고, 사회에서 상대방 못지 않은 일을 하겠다고 마음만 먹으면 못할 일이 없다. 다시 말해 하고자 하는 일에 의욕과 끈기가 있다면 말이다.

상대를 본 그대로 평가해라

젊은이들은 사람이든 사물이든 보는 것과 듣는 것을 처음부터 끝까지 과대 평가하는 경향이 있다. 그것은 본질을 잘 모르기 때문이다. 그러나 본질을 알게 되면 점점 과대 평가하는 일이 줄어든다.

사람이란 네가 생각하고 있는 것처럼 그렇게 이지적이거나 이성적인 동물은 아니다. 감정에 따라 쉽게 좌우되고 쉽게 무너지는 나약함도 있다. 일반적으로 유능하다고 평가를 받는 사람조차도 절대적이지 못하다는 것을 너는 잘 알고 있을 것이다. 그런데도 여전히 '유능하다'고 평가하는 것은 다른 사람들과 비교해서 그렇다는 것이다. 다시 말해 보통 사람들보다 결점이 적어서 '유능하다'고 말하는 것이지 남들보다 나은 자리나 위치를 확보하고 있는 것에 불과하다. 그들은 우선 자기 자신을 다스리고 결점을 줄여 나감으로써 대다수의 사람들을 잘 이끌어 간다. 이때 감성으로 이끌어 가는 것과 같은 어리석은 짓은 하지 않는다. 또한 보통 사람들이 이성보다는 감성이나 감각에 약하다는 것을 알고 교묘하게 이용한다. 그런 만큼 실패하는 경우는 거의 없다.

흔한 얘기지만 사람은 멀리서 볼 때 위대하다. 그러나 완벽하다고 생각이 드는 사람조차도 가까이에서 보면 결점투성이이다.

저 위대한 브루투스(로마의 정치가. 장군. 카이사르〔시저〕의 부하로서 카이사르의 암살을 도모하고 결국 아우구스투스에 의해 처형당함)도 마케도니아에서는 도적과 다를 바없는 나쁜 짓을 했다. 프랑스의 정치가이며 추기경인 리슐리외(파리 대학에서 신학을 공부한 뒤 지방 주교를 지냈다. 후에 왕실 고문관으로 절대 권력을 누림)도 자신의 시적 재능을 인정받기 위해 표절을 주저하지 않았다. 말버러 공작(영국의 장군) 역시도 남들에게 참으로 인색하게 굴었다.

네 자신의 눈으로 사람이란 어떤 것인가를 제대로 알려면 라 로슈푸코(프랑스의 모럴리스트) 공작의 격언집을 읽는 게 좋다. 이 책만큼 사람의 적나라한 모습을 알게 해주는 것도 드물다. 이 소책자를 틈나는 대로 꾸준히 읽어라. 네가 이 책을 읽고 나면 사람에 대하여 필요 이상으로 과대 평가하는 일도 부당하게 과소 평가하는 일도 없을 것이다. 그 점에 대해서는 분명히 말할 수 있다.

***

당당히 사람들 속으로 들어가라

네 또래의 젊은이들은 언제나 힘이 넘친다. 이때 방향을 잡아 주어야 한다. 그렇지 않으면 어디로 가야 할지 방향을 잃고 헤매다 자칫 넘어져 상처를 입게 된다. 그렇다 해도 이 무모한 행동이 비난받을 것만은 아니다. 좀 더 신중함과 자제력을 갖춘다면 많은 사람들로부터 환영을 받는다. 그러니 젊은이들에게 흔히 있을 법한 들뜬 마음은 자제하고 젊은이다운 쾌활함과 꾸밈없는 마음 자세로 당당하게 임해라.

젊은이의 변덕은 고의적인 것이 아닐지라도 상대방을 화나게 한다. 그렇지만 발랄하고 씩씩한 모습이 종종 사람들의 마음을 사로잡는다.

가능하다면 누군가를 만나기 전에 상대방의 성격이나 그가 처해 있는 상황을 앞서 알아 두는 것이 좋다. 그렇게 하면 두서 없이 생각나는 대로 이것저것 떠드는 일은 없을 것이다.

앞으로 네가 알게 될 사람들 중에는 마음씨가 좋은 사람뿐만 아니라 나쁜 사람도 많이 있다. 그중에는 남을 헐뜯기 좋아하는 사람도 있고 그보다 더 비난을 받아 마땅한 사람도 있다. 그런 사람들을 만나게 되면 공통적으로 수긍이 갈 만한 장점을 칭찬해 주거나 단점을 변호해 주는 것이 좋다. 그렇게 하면 그것이 아무리 일반적인 말이라 할지라도 진정 기뻐한다.

***

항상 충고를 해 준 사람에게는 고맙다는 말을 해라

누구나 자기보다 잘난 사람들 틈에 끼어 있다 보면 언제나 자기만을 보고 있는 것처럼 착각에 빠진다. 남들이 작은 목소리로 수군거리면 자기를 흉보는 것 같고, 웃고 있으면 자기를 보고 웃는 것이라고 착각한다. 또한 무엇인가 분명치 않은 말을 들었을 경우에는 그 말을 억지로 자신과 연관시켜 오해를 한다.

이것은 스크라브가 재미있게 쓴 「계략」이란 책에서, "왜 저렇게 큰소리로 웃고 있지? 나를 보고 웃는 것이 틀림없어"라고 단정해 버리는 것과 같다. 아무튼 여러 사람들 속에서 실망을 거듭하고 좌절을 느끼는 동안 너도 차츰 세련된 품격을 몸으로 익히게 될 것이다.

남자든 여자든 좋으니 네가 가장 친하게 지내고 있는 몇몇 사람들에게 이렇게 부탁해라

"저는 젊고 경험이 부족합니다. 따라서 본의 아니게 무례한 짓을 할 때가 있을 것입니다. 그것을 발견했을 때에는 주저하지 마시고 지적해 주시지 않겠습니까?"

이때 지적을 해 준 사람이 있다면 우정의 표시로 "고맙습니다"라는 말을 잊어서는 안 된다. 이와 같이 마음속에 있는 것을 상대에게 숨김없이 전하여 도움을 청하되 고마움의 뜻을 잊지 마라. 그렇게 하면 네 잘못을 지적해 준 사람도 기분이 좋다. 또한 그 얘기를 다른 사람에게도 전하여 네게 힘이 되

어 주기를 부탁할 것이다.

아마 그렇게 되면 많은 사람들이 친절하게 너의 무례한 행동이나 부적절한 언행에 대해 충고를 아끼지 않을 것이 분명하다. 그러면 너도 차츰 몸과 마음이 자연스럽게 될 것이고, 이야기를 나누는 상대 여하에 따라 적절히 적응해 나갈 수 있다.

명언 한마디

* 세상에서 무슨 짓이든 할 수 있다고 생각하는 사람은 어지간히 자신을 속이고 있는 사람이다.

더군다나 자기가 없으면 세상이 안 돌아간다고 착각하는 사람은 그 이상으로 잘못된 사람이다.

라 로슈프코(프랑스의 모랄리스트)

때로는 허영심도 도움이 된다

허영심을 좀 더 쉽게 말하자면 남들로부터 칭찬을 받고 싶어하는 마음이다. 어느 시대나 공통적으로 가지고 있는 마음이 아닐까?

이 허영심이 커지면 분수에 넘치는 말과 행동이 도를 넘어 범죄를 저지를 수 있다. 그러나 허영심도 좋은 쪽으로 발전만 시킨다면 바람직하다.

대체적으로 칭찬을 받고 싶어하는 마음은 남보다 잘하고 싶어하는 마음과 관련이 있다. 그러려면 그에 상응하는 깊은 사려와 남들보다 잘하고 싶어하는 마음이 있어야 한다. 남들로부터 인정을 받고 싶거나 칭찬을 받고 싶은 마음이 없다면 우리는 어떤 일에나 무관심하게 되고 아무런 의욕도 생기지 않을 것이다. 결국 자신이 가지고 있는 능력을 제대로 발휘할 수도 없거니와 하찮은 것으로 만족할 수밖에 없다. 그러나 허영심이 많은 사람은 다르다. 잘 보이려고 자기가 가진 능력 이상으로 노력한다.

나는 지금까지 너에게 모든 것을 숨김없이 이야기해 왔다. 앞으로도 나의 결점을 숨길 생각이 없다. 사실은 나도 허영심이 많은 편이다. 그렇다고 해서 나는 그것을 나쁘게 생각한 적도 없다. 오히려 허영심이 있어 다행이다.

만일 내가 사람들에게 칭찬을 받는다면 그것은 나에게도 어떤 장점이 있다는 것이다. 그리고 허영심이 나를 힘껏 밀어준 결과이다. 다시 말해 허영심의 덕택이다.

내가 사회에 진출할 당시 나의 출세욕은 대단했다. 어떤 일이 있더라도 사람들로부터 인정을 받는 것은 물론 잘되기 위해 보통 이상의 뜨거운 열정을 가슴에 품고 사회에 첫발을 내딛었다. 그것 때문에 간혹 실수를 한 적도 있었지만 그 이상으로 현명한 행동도 했다.

예를 들어 나는 남자들과 모여 있으면 그 누구보다도 앞서야겠다는 것과 적어도 거기에서 가장 뛰어난 사람들과 똑같을 정도로 훌륭하게 되고자 마음먹었다. 그런 생각이 나의 잠재 능력을 끌어내어 꼭 최고가 못된다고 해도 둘째, 셋째는 되게 했다.

이윽고 나는 모든 사람들로부터 주목을 받아 중심적인 인물이 되었다. 일단 그렇게 되면 내가 하는 모든 일들이 옳다고 여겨질 뿐만 아니라 그것을 따르는 경향이 있다. 나의 말과 행동이 유행이 되고 모두가 나의 말과 행동을 따라했을 때에는 아주 마음이 뿌듯했다. 그 결과 나는 남녀 구분없이 어떠한 모임에도 반드시 초청된 것은 물론 그 장소의 분위기를 어느 정도는 좌우하게 되었다. 그런 연유로 오래된 명문가의 여인들과 터무니없는 염문에 시달렸다. 그리고 뜬구름을 잡는 소문이 사실이 된 적도 몇 번인가 있었음을 여기에서 고백한다.

나는 남자를 대할 때 그에게 만족을 주려고 프로테우스(그리스 신화에 나오는 바다의 신. 호메로스의 「오디세이아」에 처음으로 등장했으며 갖가지 모습으로 둔갑하는 힘과 예언력이 있다.)처럼 변신하였다. 밝고 쾌활한 사람들과 어울릴 때에는 누구보다도 밝고 쾌활하게 처신을 했고 위엄이 있는 사람들 사이에서는 누구보다도 위엄있게 행동을 했다. 나는 사람들이 조금이라도 내게 호의를 보여 주었거나 친구로서 무엇인가를 도와 주었을 때에는 결코 그것을 그냥 지나치지 않고 일일이 고마움의 뜻을 전했다. 그러자 사람들은 만족해 했으며 그 지역의 저명 인사들과도 짧은 기간 내에 친분을 맺게 되었다.

허영심에 대하여 철학자들은 '인간이 가진 가장 천박한 마음'이라고 일컫는다. 그러나 나는 그렇게 생각하지 않는다. 허영심이 있었기에 '나'라는 인격이 형성되었다고 믿는다. 따라서 네가 젊었을 때 나와 같은 정도의 허영심이 있었으면 좋겠다. 이처럼 사람을 출세시키는 데에는 허영심만큼 강력한 것도 없다.

적극적인 행동과 끈기를 익혀라

며칠 전 귀국한 분이 있었는데 로마에서 너만큼 융숭한 대접을 받은 사람이 없었다 하니 난 정말로 기뻤다.

파리에서도 마찬가지로 융숭한 대접을 받을 거라 믿는다. 파리 사람들은 외지에서 온 사람들 중에서도 특히 예의바르고 마음씨가 따뜻한 사람에게는 매우 친절하다. 그러나 그러한 호의에 얄궂은 말이나 행동을 해서는 안 된다. 그들도 역시 너처럼 자기 나라를 사랑하고 있어서 자기들의 문화와 생활 양식에 호감을 보이면 매우 좋아한다. 그렇다고 해서 의도적으로 그런 말을 하라는 것은 아니다. 그렇게 하는 것도 나쁘지는 않지만 그런 마음은 행동으로 충분히 전할 수 있다. 덧붙여 그와 같은 호의에 답례를 하는 것도 좋다. 네 생각은 어떠냐? 나도 만일 프랑스나 아프리카 원주민들로부터 따뜻한 환대를 받았다면 상대방이 누구든 간에 그 정도의 고마움에 대한 표시는 하겠다.

네가 파리에 머무는 동안의 거처로 기숙사를 마련해 두었으니 도착 즉시 들어가면 된다. 너는 이 일을 고맙게 생각해라. 그렇게 되면 적어도 반년 동안은 기숙사 생활을 할 수 있는데 어떤 점이 좋은가를 잘 생각해 봐라. 만일 기숙사가 아닌 호텔에 투숙했다면 그날그날 날씨에 따라 통학에 불편이 있을 것이다. 또한 거리상으로도 시간 낭비이다. 그러나 문제는 그런 데 있는 것이 아니다. 기숙사 생활을 하게 되면 자연스럽게 많은 상류 사회의 젊은이들과 사귈 기회가 생긴다. 그러면 너도 머잖아 파리 사교계의 한 사람으로 정겹게 맞아들여지게 된다. 이처럼 대접을 받은 영국인은 내가 알고 있는 한 네가 처음이다. 게다가 유학 생활에 드는 비용도 적기 때문에 경제적인 부담이 덜하다. 그러니 쓸데없는 걱정일랑 하지 마라.

그것은 그렇고 너는 프랑스어를 능숙하게 잘하므로 이제까지 파리에서 생활한 어느 누구보다도 알찬 나날을 보내게 될 것이다. 이것 이상 더 무엇을 바라겠느냐. 유감스럽게도 프랑스로 갔던 대다수의 영국 청년들은 프랑스어를 제대로 못한다. 그렇기 때문에 사귀는 방법도 잘 모를 뿐더러 프랑스 사회를 이해한다는 것조차 힘들다. 결국 두려움 때문에 '겁쟁이'가 될 수밖에 없는데 겁쟁이는 보기에도 좋지 않다. 겁이 많고 자신이 없으면 상대방이 남자든 여자든 자기 수준 이하의 사람들과 사귀게 된다.

무슨 일을 하든지 자기 스스로 '할 수 없다'고 생각하면 그 무엇 하나 할 수 없다. 그러나 '할 수 있다'고 마음속으로 굳게 다짐한 후 자기 자신에게 채찍질을 가하면 무엇이든 해낼 수가 있다.

어떤 사람은 특별히 뛰어난 능력이나 교양도 없는데 종종 출세하는 경우를 본 적이 있을 것이다. 그것은 쾌활하고 적극적이며 끈기 또한 있기 때문이다. 그런 사람들은 남녀 모두에게 거부감을 주지 않는다. 어떠한 어려움이 닥쳐도 좌절하지 않으며 몇 번이고 넘어져도 다시 일어나 목표를 향해 돌진한다. 결국은 예외 없이 모든 일을 성취하는데 참으로 훌륭하다. 너도 그들을 본받았으면 좋겠다. 너의 인격과 교양을 바탕으로 밀고 나간다면 그들보다 훨씬 더 빠르고 확실하게 목적을 이룰 수 있다. 그것은 너에게 낙천적인 기질과 다시 시작할 힘이 있기 때문이다.

***

끝까지 최선을 다하면 어떻게든 길이 열린다

사회는 능력이 있어야 한다는 것이 첫째 조건이다. 거기에다 자기 주관을 뚜렷하게 세우는 한편으로 확고한 의지와 굴하지 않는 용기를 가져라. 그러면 두려울 것이 없다. 그렇다고 구태여 그것을 드러낼 필요는 없다.

어떤 일이고 굳이 불가능한 일에 도전할 필요는 없다. 그러나 가능한 일이라면 최선의 방법과 수단을 동원할 때 어떻게든 길이 열린다. 한 가지 방법으로 안 되면 또 다른 방법으로 시도해라. 그러면 자신이 원하는 것을 얻을 수 있다.

역사를 돌이켜 보면 강력한 의지와 끈기로 성공한 사람들이 상당수 있다.

예를 들어 마자랭(프랑스의 정치가. 이탈리아 출신으로 프랑스에 귀화하여 추기경이 됨. 성품이 온유하고 사교적이며 시류에 밝음)과 여러 번 협상을 거듭한 끝에 피레네 조약을 체결한 재상 돈 루이 드 알로가 그렇다. 그는 타고난 냉철함과 끈기로 협상을 하는 한편 몇 가지 중요한 안건만은 단 한 발도 물러섬이 없이 합의를 이끌어냈다. 마자랭이 이탈리아 사람처럼 아주 쾌활하고 성급한 사람이라면 돈 루이는 스페인 사람처럼 냉정하고 침착하며 인내심을 갖춘 사람이다.

협상 테이블에 앉은 마자랭의 최대 관심사는 파리에 있는 숙적 콩데 공이 다시는 반란을 일으키지 못하도록 저지하는 것이 었다. 따라서 조약 체결을 서둘러 매듭짓고 빨리 파리로 돌아가려 했는데, 그것은 자기가 파리를 비워둔 상황에서 언제 무슨 일이 발생할지도 모르기 때문이다. 돈 루이는 이런 상황을 눈치채고 협상을 할 때마다 콩데 공의 이야기를 계속해서 꺼냈다. 그러자 마자랭은 한때 협상 테이블에 마주앉는 것조차 거부했을 정도였다. 이처럼 돈 루이는 초지 일관 냉정하게 대처하여 마자랭이나 프랑스 왕조의 의향과 이익에 반하여 조약을 유리하게 체결할 수 있었다.

중요한 것은 불가능한 일과 가능한 일을 판단하는 능력이다. 불가능하지 않은 일이라면 관철하려는 의지와 끈기가 기필코 일을 성사시킬 수 있다. 물론 그것보다 앞서 깊은 주의력과 집중력이 필요하다.

명언 한마디

* 한 통의 쓸개즙보다 한 방울의 꿀로 더 많은 날벌레를 잡을 수 있다. 이것은 세상의 진리이다.

그러므로 인간 관계에 있어서도 누군가를 당신의 편으로 만들고 싶다면 우선 돈보다 당신이 진정한 친구임을 인식시켜라. 거기에는 마음을 사로잡는 한 방울의 꿀이 있기 때문이다.

누가 뭐라고 해도 그 마음이야말로 당신과의 관계를 친밀하게 하는 가장 확실한 지름길이다.

링컨

링컨: 미국 제16대 대통령. 고학으로 변호사 자격 취득. 남북 전쟁의 승리로 노예 해방을 쟁취했다.

7장

성공을 위한 인간 관계

칭찬과 배려는 자연스럽게 해라

사귐의 본질은 상대를 배려하는 것이다

앞서 어떤 사람들과 사귀는 것이 좋은가를 이야기했다. 오늘은 그들과 사귀는 데에 있어서 어떤 행동을 해야 하는가를 말하고 싶다. 이것은 나의 오랜 경험을 바탕으로 얻어진 결과이다. 그러니 네게 조금은 도움이 될 것이다. 우선적으로 말하고 싶은 것은 네가 아무리 훌륭한 사람들과 깊은 우정을 나눈다 해도 상대방을 기쁘게 하려는 마음이 없다면 그 어떤 것도 소용이 없다.

언젠가 스위스 여행 길에 주위 사람들로부터 너는 융숭한 대접을 받아 무척이나 기뻤다고 내게 편지를 쓴 적이 있었지. 그때 나는 그분들께 고마움의 편지를 썼고 동시에 너에게도 다음과 같은 편지를 써 보냈다. 지금도 기억하고 있느냐?

"만일 상대방이 너에게 마음을 써 준 것이 그렇게도 기뻤다면 너 역시도 그들에게 똑같은 마음으로 베풀어라. 네가 마음을 써 주면 줄수록 상대방도 기뻐한다."

내가 편지를 쓴 것처럼 이것이 사람을 사귀는 데 꼭 필요한 대원칙이 아닐까? 사람이라면 사랑하는 사람이나 친구를 염려하고 또한 기쁘게 해 주려는 마음이 있다. 이런 마음이 없다면 실제로 상대방을 기쁘게 해 줄 수도 없다. 다시 말해서 사귐의 본질은 상대방을 생각해 주는 마음이다. 그런 마음이 생기면 어떠한 말과 행동을 취해야 할지 자연스레 알게 된다. 상대방을 기쁘게 해 주려고 하는 마음은 누구나 다 가지고 있다. 하지만 상대방과 사귀고 있는 동안에 상대방을 기쁘게 해 주는 방법에 대하여 아는 사람은 그리 흔치 않다. 너는 꼭 이 점을 명심하기 바란다. 그렇다고 해서 여기에 무슨 특별한 것을 따로 정해 놓은 것은 없다. 다만 한 가지 내가 말할 수 있는 것은 상대방이 너에게 해 준 것처럼 너도 상대방에게 해 주면 된다. 잘 생각해 보면 알다시피 상대방이 너에게 어떻게 해 주었을 때가 기뻤는지를 생각하고 너도 상대방과 똑같이 해 주면 된다. 그러면 상대방도 틀림없이 기뻐한다.

명언 한마디

* 친구는 신중하게 사귀는 것이 좋다. 혀는 혀, 마음은 마음이라고 말하는 사람은 무서운 사람이다. 그런 사람은 친구가 아니라 적일지도 모른다.

테오그니스

***

대화는 함께 나누는 것임을 명심해라

우선 말은 유창하게 하는 것이 좋다. 그러나 혼자서 계속하는 것은 좋지 않다. 만일 오랜 시간 혼자서 말을 할 상황에 있다면 적어도 듣고 있는 사람을 지루하게 만들어선 안 된다. 될 수 있는 한 즐겁게 들을 수 있도록 노력해야 한다. 그렇다고 해도 가능한 한 짧게 하는 것이 좋다. 본래 대화라고 하는 것은 혼자서 독점하는 것이 아니다. 너 역시 다른 사람의 몫까지 독차지 해서는 안 된다. 더군다나 각각 자기의 몫을 다 할 능력이 있을 경우에는 네 몫만 하면 된다. 이따금 혼자서 계속 말을 하는 사람이 있다. 그런 사람은 안타깝게도 그 자리에 있는 누군가를 붙잡는다. 그것도 대개는 말이 별로 없는 사람이나 또는 우연히 옆자리에 앉아 있는 사람인데 아주 작은 목소리로 속삭이듯 끝없이 말을 이어 간다. 이것은 매우 예의에 어긋나는 짓이다. 좋게 생각하려 해도 올바른 태도가 아니다. 너는 어떻게 생각하느냐? 대화라는 것은 혼자서 하는 것이 아니라 상호간에 만들어 가는 것이다. 만일 네가 혼자서 줄줄 말하는 사람에게 붙잡혔다. 그런데 그것을 참을 수밖에 없는 상대라면 어쩔 도리가 없다. 적어도 싫다는 것을 내색할 수 없는 경우, 거부감을 보이기 보다는 주의를 기울이는 듯 끝까지 참아야 한다. 그런 사람은 네가 귀를 기울여 주는 것 이상으로 기쁜 일은 없다. 이때 등을 돌리거나 짜증스런 표정을 짓게 되면 그것 만큼 모욕적인 일도 없다.

***

상대에 따라 화제를 바꿔라

이야기 내용은 가능한 한 모든 사람들이 공통적으로 좋아하거나 유익한 것을 선택하면 된다. 즉 역사 이야기나 문학 이야기가 무난하다. 또한 다른 나라 이야기를 할 때에는 날씨나 패션에 관한 이야기가 항간의 소문보다 훨씬 더 유익하고 즐겁다. 간혹 익살스러운 이야기도 필요하다. 내용면에서는 어떨지 몰라도 다양한 계층의 사람들이 모여 있을 때에는 가벼운 대화가 무난하다.

한편 무엇인가 험악한 쪽으로 분위기가 흐를 때, 가벼운 이야기는 순간적으로 긴장된 분위기를 반전시킬 수도 있다. 이때 그것이 결코 품위를 잃는 것은 아니다. 넌지시 먹는 것이나 술의 향기, 제조법에 관한 이야기로 화제를 돌린다면 이 얼마나 세련된 화술이냐?

상대에 따라서 화제를 바꿔야 한다는 말은 새삼스러운 것이 아니다. 누가 가르쳐 주지 않았다고 해서 언제나 똑같은 화제를 똑같은 방법으로 할 만큼 바보스런 사람은 없다.

정치가에게는 정치가로서의 적합한 화제가 있으며 철학자에게는 철학자로서의 적합한 화제가 있다. 물론 여자에게도 여자로서의 적합한 화제가 따로 있다. 그러므로 인생 경험이 풍부한 사람이라면 그러한 것쯤은 충분히 안다.

카멜레온이 상황에 따라 색깔을 자유자재로 바꾸는 것처럼 상황에 맞는 화제를 선택해라. 이것은 변덕스럽거나 유치한 방법이 아니다. 말하자면 인간 관계에 있어서 꼭 필요로 하는 윤활유와 같은 것이다.

자신이 어떤 장소에서 분위기를 주도할 필요는 없다. 그저 주위의 분위기에 따르는 편이 바람직하다. 그 장소의 분위기에 따라 진지할 때와 웃을 때를 구분해라. 필요에 따라서는 익살스러운 농담도 바람직하다. 이것은 여러 사람들과 함께 했을 때의 에티켓과 같다.

상대방에게 장점이 있다면 말하지 않아도 그 장점은 자연스레 대화를 통해서 나오게 된다. 만약 자신이 화제를 이끌어 갈 수 없다면 애써 화제를 따로 만들기보다는 상대방의 이야기에 맞장구를 치는 편이 낫다. 여기서 의견이 대립될 만한 화제는 피하는 것이 좋다. 그것은 의견을 달리하는 쪽에서 반박할 경우 험악한 분위기가 만들어지기 때문이다. 만약 의견이 대립되어 논쟁이 가열될 듯하면 적당히 마무리를 짓든가 기지를 발휘하여 다른 쪽으로 그 화제를 돌리는 것이 바람직하다.

***

자화자찬으로 평가받는 사람은 없다

어떤 경우라도 해서는 안 되는 것이 있다. 먼저 자기 이야기를 하는 것이다. 이런 짓은 가능한 한 피하는 것이 좋다. 아무리 훌륭한 사람일지라도 자기 이야기를 하게 되면 여러 가지 형태의 숨겨진 허영심이나 자존심이 자신도 모르게 흘러나와 상대방을 불쾌하게 한다.

자기 자신의 이야기에도 여러 가지가 있는데 갑작스레 화제와는 무관한 이야기를 꺼내 결국에는 자기 자랑으로 끝내는 사람들이 있다. 정말로 예의에 어긋나는 짓이다. 보다 더 교묘한 사람들도 있다. 그들은 마치 자기가 억울하게 비난을 받은 것처럼 제멋대로 말을 한다. 그리고 그런 비난이 얼마나 부당한지에 대하여 죽 열거하고 정당화시키려다 결국에는 자기 자랑으로 끝을 맺는다.

"이런 말 자체가 정말 창피하고 부끄러운 일이라서 사실은 말하고 싶지 않았어요. 하지만 하지도 않은 일로 이토록 심한 비난을 받는다는 것 자체가 너무하잖아요, 이런 억울한 일만 없었으면 입도 뻥긋 안 했을 거예요. 저는 원래 입이 무겁거든요."

누구나 자기 나름대로는 정당성이 있다. 비난을 받으면 혐의를 벗기 위해 평소보다 거칠게 말을 한다. 그렇다고 자기의 허영심을 채우기 위해 염치없이 그 옷을 벗어 던져도 좋단 말인가. 이것은 속이 훤히 들여다보이는 뻔뻔스럽고도 경박한 짓이다.

똑같은 자기 이야기를 하더라도 좀 더 유치하게 자기를 비하하는 사람들이 있다. 이것은 더욱 어리석은 수작이다. 그런 사람들은 먼저 자기가 힘이 없는 사람이라고 푸념을 늘어놓은 다음 자기의 불행에 대하여 다소는 머뭇거리는 듯, 부끄러움을 느끼는 듯, 착하게 살 것을 신에게 맹세한다. 혹여 그런 사람들이 불행을 한탄한다 해도 주변 사람들은 동정하지 않는다. 힘이 되어 주기는커녕 그저 난처해 하고 당혹해 할 뿐이다. 그런데 정작 본인은 모른다. 주변 사람들은 도와줄 능력이 없기 때문에 불행하다는 사람들을 앞에 두고 당연히 난감해 한다. 그러나 이런 점까지는 미처 생각을 못했기 때문에 그들은 스스로 어리석은 짓임을 알면서도 푸념을 할 수밖에 없다. 그들도 분명히 안다. 결점 투성이인 자기 자신이 성공을 하기는커녕 순탄하게 살아가기도 어렵다는 것을……. 그러면서도 그 버릇을 고치지 못하기 때문에 몸부림치고 매달린다. 그런 일이 있을 수 있는가라고 의아해 할 수도 있겠지만 이는 엄연한 사실이다. 언제든 그와 같은 사람들을 만날 수도 있으니 너 또한 주의하는 것이 좋다.

이처럼 허영심이나 자존심을 직선적으로 드러내지 않는 것은 그래도 나은 편이다. 심한 경우 시시콜콜한 것까지 일일이 들추어 자기 자랑을 하는 사람도 있다. 너도 본 적이 있을 것이다. 어떤 사람은 칭찬을 받고자 하는 일념으로 자기 자랑만을 늘어놓는다. 그런데 그들의 이야기가 만일 진실이라고 해도 사실상 그것에 대한 칭찬을 받는 경우는 거의 없다.

이를테면 자기와 그다지 관련이 없는 데도 자기는 굉장히

유명한 아무개의 후손이다. 아니면 친척이다. 아니면 잘 아는 사람이라고 자랑스럽게 말을 한다. '우리 할아버지는 이런 분이고요' '큰아버지는 아무개고요' '내 친구는 누구누구입니다' 라고 쉴새없이 지껄여댄다. 그는 그들을 실제로 만나본 적도 없고 전혀 상관도 없는 사람임에 틀림없다. 설령 그것이 사실이라고 해도 그것이 어쨌다는 말인가? 그렇다고 해서 그 사람이 훌륭해지는가? 절대로 그럴 리가 없다.

혹은 혼자서 술을 짝으로 마셨다며 자랑스럽게 말하는 사람들이 있다. 나는 그런 사람들을 위해서 감히 말하건대 그것은 거짓말이다. 그렇지 않다면 그 사람은 비정상적이다. 이처럼 끝없을 만큼 사람들은 허영심 때문에 허풍을 떨거나 이야기를 부풀리고 있다. 그래도 원하는 것을 얻으면 다행인데 되려 신뢰성을 크게 떨어뜨린다.

결국 자기가 하고자 하는 이야기와 전혀 상관없는 말을 꺼내어 자랑한다. 그러면 자신이 못난 사람이라는 것을 스스로 인정하는 셈이 된다.

명언 한마디

* 두려움이 두려운 일보다 더 나쁘다.

프랭클린 루스벨트

프랭클린 루스벨트: 미국의 32대 대통령으로 임기 동안 대공황과 제2차 세계 대전을 모두 경험한, 20세기의 중심 인물 중 한 사람. 뉴딜 정책으로 대공황 탈출.

***

상대방에게 자기 자랑을 하지 마라

이렇게 어리석지 않으려면 자신의 이야기를 스스로 떠벌려서는 안 된다. 자기의 이력을 이야기할 경우에도 상대방에게 자기 자랑처럼 들리지 않게 직접적이든 간접적이든 일절 하지 마라.

사람의 인격이라는 것은 선악에 관계없이 언젠가는 드러나게 마련이다. 그러니 굳이 자기 입으로 말할 것까지는 없다. 자기 입으로 말을 하면 아무도 그 말을 믿어 주지 않는다. 잘못이라도 그것을 자기의 입으로 말을 하면 그 단점을 감출 수 있다든가 장점이 더 부각될 것이라는 생각은 애초부터 하지 마라.

그런 짓을 하면 단점은 더욱 뚜렷이 드러나고 반대로 장점은 퇴색된다. 차라리 잠자코 있으면 장점이 있을 것으로 상대방은 생각한다. 그러면 인격적으로 더 나아 보일 수도 있고 불필요한 질투나 비웃음 따위로 불이익을 당할 일도 없다.

아무에게나 본심을 드러내지 마라

도대체 무슨 생각을 하고 있는지도 알 수 없고 분위기와 인상 또한 좋지 않다. 그러면 정작 좋은 느낌을 주지 못할 뿐더러 엉뚱하게 오해만 사게 된다. 더욱이 그런 사람에게는 누구라도 자신의 속내를 드러내지 않는다.

현명한 사람은 자신의 생각을 함부로 드러내지 않고 눈치 빠른 행동으로 누구에게나 친절을 베푼다. 또한 자기의 본심을 숨기므로써 상대의 경계심을 풀게 한다. 왜 이렇듯 자신의 본심을 숨겨야 하는가? 이유는 간단하다.

즉, 별생각도 없이 말을 하면 대개의 경우 그 말이 어디론가 전달되어 자기들 멋대로 해석되고 이용된다. 그러므로 현명하고 눈치 빠른 행동을 하되 신중함이 요구된다.

***

상대방의 본심은 귀가 아니라 눈으로 읽어라

이야기를 할 때에는 항상 상대방의 눈을 쳐다봐야 한다. 그렇지 않으면 무엇인가 떳떳하지 못한 행동이나 생각을 한 것처럼 오해를 사기 쉽다. 게다가 이야기 중에 상대방의 눈을 피하는 것은 큰 실례이고 한편으로는 납득하기 어려운 일이다.

상대방이 말을 할 때에 천장을 쳐다본다. 창 밖을 내다본다. 테이블 위에 놓여 있는 무언가를 만지작거리는 행동은 상대방을 무시하는 것이다. 그런 행동은 지금 말하고 있는 사람보다 더 중요한 일이 있다는 것을 공공연히 드러내는 것과 같다. 그때 조금이라도 자존심이 있는 사람이라면 화를 내는 것은 물론 불쾌하다는 듯이 얼굴을 찡그리게 된다. 누차 말하지만 누구도 그런 취급을 받고 자존심이 상하지 않는 사람은 없다. 상대방의 눈을 보지 않는다는 것은 자신의 인상을 나쁘게 심어 주는 것으로 끝나지 않는다. 그것은 상대방에 대한 알 기회를 포기하는 것과 같다. 그렇기 때문에 상대방의 마음속을 읽기 위해서라면 귀로 듣는 것보다 눈으로 보는 편이 훨씬 낫다. 다음으로 당부하고 싶은 것은 스스로 나서서 남의 나쁜 소문에 귀를 기울이거나 퍼뜨려서는 안 된다. 그 당시는 즐거울 것 같지만 이성적으로 볼 때 그런 행동은 바람직하지 못하다. 그러니 남을 헐뜯으면 헐뜯은 만큼 그 사람만 비난받게 된다는 사실을 명심해라.

***

바보처럼 웃지 말고 미소로 답해라

너무 큰소리로 실없이 웃는 것은 좋지 않다. 큰소리로 웃는 것은 시시껄렁한 일로 어리석은 짓이다. 정말 재치가 있고 분별이 있는 사람은 결코 남들을 쓸데없이 웃기지도 않고 자신도 쓸데없이 웃지 않는다. 설령 웃는다고 해도 조용히 미소를 지을 뿐이다. 너도 큰소리로 웃는 것과 같은 천박한 흉내는 내지 마라. 무슨 일이 있을 때마다 껄껄대고 웃는 것은 자신이 바보라는 것을 증명하는 셈이다.

이를테면 누군가가 의자에 앉으려고 하는데 의자를 살짝 빼는 바람에 엉덩방아를 찧었다. 그것을 보고 기다렸다는 듯이 한바탕 크게 웃는 사람이 있다. 이것이야 말로 얼마나 저질적인 웃음이냐, 이 얼마나 생각이 모자란 즐거움이냐. 그런데 그들은 이것이 즐겁다고 한다. 나는 그처럼 천박하고 짓궂은 장난과 우발적인 사건을 보고 크게 웃는 것 이상 어떤 여유로운 표정이나 명쾌한 즐거움에 대하여 아는지 묻고 싶다. 크게 웃는다는 것은 귀에도 거슬리고 보기에도 아름답지 못하다. 바보스런 웃음은 힘들이지 않고도 참을 수 있다. 그것을 참지 않는 것은 누구나 웃음이란 쾌활하고 즐거운 것이다라는 고정 관념 때문이다. 그래서 그런지 아주 어리석은 짓이라는 것을 깨닫지 못한다. 말을 하면서 무턱대고 웃는 사람이 있다. 내가 알고 있는 와라 씨도 그중의 한 사람이다. 그의 인격은 매우 훌륭하다. 그런데 곤란하게도 웃지 않으면 이야기를 못한다. 그를 알지 못하는 사람들은 대부분 이런 버릇을 보고 머리가 조금은 이상하다고 생각한다. 그렇다 한들 어찌할 도리가 없다.

그 밖에도 나쁜 인상을 주는 버릇이 많이 있다. 대부분은 무료함을 달래기 위해 이상한 흉내를 내다 결국 자신도 모르는 사이에 버릇처럼 습관화된 것이다.

사회에 첫발을 내딛게 되면 처신을 어떤 식으로 해야 할지 모르기 때문에 갖가지 표정을 지어 보기도 하고 또 여러 동작을 취해 보기도 한다.

지금도 코를 만지작거린다거나, 머리를 긁적거린다거나, 모자를 만지작거린다. 이처럼 어딘가 모르게 어색하고 침착성이 없는 사람은 그 버릇이 아직도 남아 있는데, 그런 사람들이 세상에는 의외로 많다. 나쁜 짓은 아니겠지만 보기에도 역시 좋지 않은 행동은 느낌도 좋지 않으니 가능한 한 하지 않는 것이 좋다.

단체의 일원이 되도록 노력해라

재치가 있는 유머나 농담은 어떤 특정한 모임에서나 통한다. 그런 것은 특수한 환경에서만이 가능한 일이지 다른 환경에서도 통할 거라는 생각은 무리이다. 어떠한 모임에도 그 모임의 독특한 분위기라는 것이 있다. 그곳에서 독특한 표현방법이나 말씨가 점차적으로 특유의 유머나 농담이 된다. 그런데 환경이 다른 모임으로 옮겨지면 무미건조하고 재미 또한 상실된다. 재미가 없는 농담 만큼 썰렁한 것은 없다. 자리는 흥이 깨지고 심지어 무엇이 재미있는 것인지를 설명해 달라고 따진다. 그럴 때의 썰렁한 분위기에 대하여 여기서는 더 이상 말하지 않겠다.

농담뿐만 아니다. 어떤 모임에서 들은 것을 다른 모임으로 옮겨서는 안 된다. 이 말을 대수롭지 않게 생각하면 그 말이 돌고 돌아 예상 밖의 큰 파문이 생긴다. 그러므로 그런 짓을 하는 것은 예의에 어긋난다. 그래도 딱히 정해진 법은 없다. 그렇다고 해도 어디선가 들은 말을 함부로 옮기지 않는다는 것은 무언의 사회적 약속이다. 그것을 어기면 누구한테나 비난을 받게 되고 어디를 가든지 환영을 받지 못한다.

어떤 단체든 이른바 '마음씨 좋은 사람'이 있다. '마음씨 좋은 사람'이라는 이유 하나만으로 그 모임에 가입되는 경우가 있다. 그런데 그들을 잘 보면 어떤 역할도 못하고 매력도 없다. 또한 자신의 의견이나 의지도 별로 없다. 그들은 동료들이 하는 일이나 말은 무엇이든지 쉽게 따르고 양보하며 칭찬을 아끼지 않는다. 대다수가 찬성한다는 이유만으로 어떤 잘못된 일이라 해도 아주 쉽게 휩쓸린다. 왜 그렇게 어리석은 짓을 하는 것일까? 그것은 자기 주관이 없기 때문이다.

만일 네가 어떤 모임에 가입하라는 권유를 받았을 때에는 보다 더 정당한 일원이 될 수 있도록 노력해라. 그러기 위해서는 자신의 주관이 뚜렷해야 한다. 또한 그것을 쉽게 버리지 말아야 한다. 그것을 표현할 경우에는 예의바르고도 유머스럽게 그리고 가능하다면 품위를 지키는 것이 좋다. 지금 네 나이 때에는 높은 위치에 있는 것처럼 말을 하거나 마치 남을 비난하는 듯한 말은 삼가는 것이 좋다.

***

붙임성이 있는 것도 훌륭한 능력이다

이른바 '마음씨 좋은 사람' 이 아니어도 아첨을 떠나 붙임성이 있다는 것은 그렇게 비난받을 것이 못된다. 오히려 남과 사귀기 위해서는 꼭 필요하다. 예컨대 작은 결점은 모르는 체 하고 눈에 거슬리는 말과 행동은 너그럽게 봐주는 것과 같이 어느 정도의 공치사는 필요하다. 또 그렇게 하는 편이 친해지는 계기가 된다. 공치사라 할지라도 치켜세워 주면 좋아하고 치켜세워 주지 않으면 미움을 사게 마련이다. 그러니 그렇게 하지 않으면 더 이상 자신을 향상시킬 수 없다.

어떠한 모임에도 그 모임의 말투나 옷차림, 취미나 교양을 좌우하는 사람들이 있다. 그날의 자리를 열광시켰다기 보다는 근본적으로 모임을 이끌어 갈 만한 사람인지가 결정적인 요소가 된다. 모든 사람의 눈이 이런 사람에게 집중되는 것은 자연스러운 현상이다. 그리고 어떤 면에서는 압도당하는 것과 같은 느낌이 들 것이다. 이처럼 모임을 이끌어 갈 만한 사람의 마음에 들지 않으면 어떻게 될까? 모임으로부터 즉시 쫓겨난다. 어떠한 기지도, 예절도, 취미도, 옷차림도 당장에 거부당한다. 그러므로 이런 사람에게는 그저 순순히 따르는 것이 좋을 뿐더러 다소의 아첨도 무방하다. 오히려 그렇게 할 때에 강력한 추천장을 받을 수 있다. 그러면 그 모임 안에서 뿐만 아니라 가까운 이웃 영역까지도 자유로이 출입할 수 있게 된다.

불편이 없도록 상대방을 배려해라

화를 돋구기 전에 기쁨을 주고 싶으면, 비난을 받기 전에 칭찬을 받고 싶으면, 미움을 사기 전에 사랑을 받고 싶으면, 늘 상대방에 대한 배려를 잊지 마라. 그것도 아주 조금이면 된다.

이를테면 사람에게는 저마다 약간의 버릇이라든가, 취미, 그리고 좋아하는 것과 싫어하는 것이 있다. 그것을 유심히 살펴봐라. 그런 후로 좋아하는 것은 그의 눈에 띄게 하고 싫어하는 것은 보이지 않게 하면 된다.

하나의 예로 "당신이 좋아하는 술을 준비해 놓았습니다" 혹은 "그분을 별로 좋아하시는 것 같지 않아서 오늘은 초대하지 않았습니다"라고 말한다. 그런 자연스러운 배려가 마음의 문을 열게 한다. 또한 그토록 관심을 보인 것에 대해 감동을 받는다. 그와는 반대로 상대방이 싫어한다는 것을 알면서도 부주의하게 그것을 드러내면 그 결과는 뻔하다. 상대방은 무시를 당했다고 오해를 하거나 푸대접받았다는 생각에 두고두고 나쁜 감정을 갖는다. 아주 사소한 것이라도 좋다. 사소한 것이면 사소한 것일수록 상대방은 더 특별한 배려를 받았다고 느낀다. 오히려 큰 배려를 해 준 것보다도 더 감격해 한다. 너도 기억이 날 것이다. 아주 사소한 것이지만 남이 너에게 베풀어 준 그 작은 배려가 정작 얼마나 기뻤던가를 말이다. 뿐만 아니다. 오직 그 사소한 배려가 훗날 그 사람에 대한 관심을 갖게 하는 것은 물론 어떤 행동이든 호의적인 반응을 보인다. 사람이란 그런 것이다. 특정한 사람에게 호감을 사고 특정한 사람과 친분을 맺으려 한다면 그 사람의 장단점을 찾아내어 칭찬받고 싶어하는 부분을 칭찬해 주면 된다. 여기서 잘하는 분야를 칭찬받는 것도 기쁜 일이지만 그 이상으로 기쁜 것은 인정받고 싶은 것을 칭찬받는 것이다. 이보다 더 자신감을 살려 주는 것도 없다.

예컨대 당시의 정치가로서는 수완이 뛰어난 추기경 리슐리외의 경우를 상기해 봐라. 그는 공연히 쓸데없는 허영심 때문에 정치가로 만족하지 못하고 어느 누구보다도 훌륭한 시인으로 인정받기를 원했다.

그래서 당대의 위대한 극작가 코르네이유(프랑스의 극작가. 시인. 고전 비극의 선구자이며 완성자)의 명성을 시기한 나머지 다른 사람들을 시켜서 '르 시드(프랑스의 전기 고전주의의 최대 걸작. 엘시드의 이야기를 줄거리로 한 희극 작품인데 이것을 토대로 해서 쓴 작품)'라는 작품에 대하여 악의적인 비평을 하게 했다. 이것을 본 아첨꾼들은 리슐리외의 정치 수완에 관해서는 거의 말도 하지 않고 설령 하더라도 지극히 형식적인 말만을 했다. 그러나 엉뚱하게도 시인으로서의 재능은 몹시 극찬했다. 그들이 그렇게 한 것은 호감을 사기 위한 최선의 처방이 무엇인지를 잘 알기 때문이다. 정말이지 리슐리외의 정치 수완은 훌륭했지만 시인으로서의 재능은 없었다.

대부분의 사람은 누군가로부터 칭찬을 받고 싶어하는 측면이 있다. 그것을 알아내기 위해서는 그 사람이 즐겨 말하는 분야를 주의 깊게 살피면 된다.

누구나 자기가 칭찬을 받고 싶은 것, 잘한다고 인정을 받고 싶은 것에 대해서는 유난히도 많은 부분을 화제에 올린다. 이것이 바로 급소이다. 그곳을 공략하면 반드시 상대방의 마음을 빼앗을 수 있다.

***

때로는 무조건 칭찬을 해 줘라

내가 이런 말을 한다고 해서 오해는 마라. 사람의 마음을 야비한 수단과 아첨을 통해 조종하라는 것은 절대 아니다. 그렇다고 해서 상대방의 단점이나 나쁜 행동까지 칭찬할 필요는 없다. 또한 칭찬해서도 안 된다. 그런 것은 멀리해야 할 뿐더러 잘못된 것이라고 당당하게 말해야 한다. 하지만 꼭 염두해 두기 바란다. 사람의 결점이나 경박함, 실속이 없는 허영심은 못 본 척 넘어가라. 그것만이 세상을 힘들지 않게 사는 것이다.

누구든 실제보다 현명하다는 말을 듣고 싶고 또한 아름다움을 인정받고 싶어한다. 그렇다고 해서 이것이 다른 사람에게 피해를 주는 것은 아니다. 이 얼마나 순진한 것이냐? 이 사람들에게는 이러쿵저러쿵 말해 보았자 의미가 없다. 그런 말로 불쾌감을 주느니 차라리 친분 관계를 위해 기분을 맞추는 편이 낫다.

상대방에게 잘한 점이 있으면 얼마든지 칭찬할 수 있다. 내가 별로라고 생각해도 사회적으로 인정한다면 모르는 척 칭찬하면 된다. 너는 남을 칭찬하는 데에 있어 인색한 것 같다. 사람들은 누구나 자기의 생각이나 개성을 인정받고 싶어한다. 또한 분명히 잘못된 생각이나 자신의 작은 결점까지도 너그럽게 봐주기를 바란다. 넌 아직도 그것을 잘 모르느냐. 우리들은 자기의 생각뿐만 아니라 버릇이나 옷차림과 같은 사소한 것까지도 흠을 잡기에 앞서 마음을 써 주면 크게 기뻐한다.

여기서 재미난 이야기를 하나 하겠다. 악명 높은 찰스 2세의 통치 시대에 있었던 이야기인데 당시에 대법관직을 수행하던 샤프츠버리(영국의 정치가. 청교도 혁명 중에는 왕당파였는데 그 이후 의회파로 전향을 했다가 다시 크롬웰에 반대하여 왕정 복고를 주장함) 백작은 대신으로서 뿐만 아니라 개인적으로도 왕에게 신임을 받고 싶어했다. 샤프츠버리는 왕이 여자를 좋아한다는 말에 자기도 첩을 두었다. 그 소문을 들은 왕은 샤프츠버리에게 그것이 사실이냐고 물었다. 그러자 샤프츠버리는 "사실입니다. 아내 말고도 여러 명의 첩을 두고 있습니다. 신은 언제나 변화를 즐기니까요."

그 후 알현식이 있었다. 왕은 먼발치의 샤프츠버리를 보고 주위의 신하들에게 이런 말을 했다.

"모두들 믿지 않겠지만, 저기에 있는 저 허약한 사람이 천하 제일의 난봉꾼이오."

샤프츠버리가 왕에게 가까이 다가서자 웃음이 터져 나왔다.

왕은 샤프츠버리에게 말했다.

"방금 그대 이야기를 하고 있었다."

"예? 제 이야기를 말입니까."

"그렇다. 그대가 천하 제일의 난봉꾼임을 이야기하고 있었다. 어떠냐? 내 말이 틀렸느냐?"

샤프츠버리는 대답했다.

"아, 그 이야기 말입니까? 그런 일이라면 아마 소인이 천하 제일이라 해도 지나침이 없습니다."

왕이 얼마나 흡족해 했는가는 어렵지 않게 상상할 수 있다. 그 이후 샤프츠버리는 왕의 사생활까지 일일이 아는 측근이 되었다. 사실 샤프츠버리는 그 여자들을 가까이한 적이 없다.

사람에게는 저마다 특유의 사고 방식, 행동 양식, 성격과 외모가 있다. 이것에 관해서는 이러쿵저러쿵 말하지 않는 것이 일종의 불문율이다. 다소 사실과 다르더라도 그것이 특별히 나쁜 짓이거나 자기의 자존심에 상처를 주지 않는 한 잘 어울리는 것이 중요하지 않을까?

어떤 면에서 의도적일지는 몰라도 상대방을 가장 기쁘게 하는 방법은 보이지 않는 곳에서 칭찬하는 것이다. 그렇다 해도 보이지 않는 곳에서의 칭찬은 별 의미가 없다. 그 칭찬한 것이 상대방에게 전해져야 하는데 중요한 것은 칭찬한 것을 옮기는 사람이 필요하다. 따라서 그 말을 옮기면 자기 자신도 득이 된다고 생각하는 사람을 찾아야 한다. 그런 사람은 네 말을 분명히 전해 줄 뿐만 아니라 어쩌면 부풀려서 칭찬해 줄 수도 있다. 사람에 대한 칭찬 중에서 이보다 더 기쁘고 효과적인 것은 없다.

사회에 첫발을 내딛게 될 너에게 이제까지 말한 것들은 앞으로 친해지고 싶은 사람들과 사귀는 데 꼭 필요한 것들이다. 나도 네 나이 때 이런 것들을 알고 있었더라면 얼마나 좋았을까. 나의 경우는 이런 사실을 깨닫는데 무려 35년의 세월이 걸렸다. 하지만 지금 네가 그것을 알아서 실천한다면 나는 더 이상 바랄 것이 없다.

친구가 많은 사람이 가장 성공한 사람이다

이 세상에는 적이 없는 사람도 없고 모든 사람에게 사랑을 받는 사람도 없다. 그렇다고 해서 사랑받기를 포기하라는 것은 아니다.

나의 오랜 경험에 의하면 친구가 많은 사람이 친구가 없는 사람보다 강한 사람이다. 그런 사람은 원한을 사거나 모함의 대상이 되는 경우가 드물어 누구보다도 빨리 출세를 한다. 만일 몰락하는 일이 있더라도 사람들의 동정을 사므로 치명적인 몰락만큼은 면한다. 이런 점에서 보면 친구가 많다는 것과 적이 적다는 것이 얼마나 중요한 것인지를 항상 마음에 새겨 두고 그것을 위해 노력해라.

너는 이미 세상을 떠난 어몬드 공작의 얘기를 들어 본 적이 있느냐? 머리는 뛰어나지 않았지만 예의 범절에 관해서는 누구보다도 앞선 사람이다. 본래 성품이 싹싹한 데다가 궁정 생활과 군대 생활을 통하여 익힌 사교적인 언행은 올바랐다. 또한 자상한 배려심도 있었다. 그 매력은 이 사람의 무능력을 채우고도 남음이 있을 정도였기 때문에 모든 사람에게 인정을 받지는 못했으나 모든 사람에게 사랑을 받았다.

그는 앤 여왕(영국 스튜어트 왕조의 마지막 여왕)이 죽자 반란에 가담한 사람들과 함께 탄핵 재판에 회부되었다. 그런데 그분의 덕망이 어느 정도였는지 결국은 당시의 정쟁에도 불구하고 탄핵 결의안은 어느 다른 사람들보다 적은 찬성표로 상원을 통과했다. 그 결과 그분은 치명적인 몰락만큼은 면할 수 있었다.

탄핵의 주동자이기도 했던 당시의 국무 대신 스탠호프(영국의 군인 · 정치가. 후에 백작이 됨)가 앤 여왕의 뒤를 이을 조지 1세와 발 빠르게 교섭하는 등 조정에 들어갔고 다음날에 어몬드 공작을 왕과 접견할 준비까지 끝낸 상태였다.

그때 어몬드 공작이 붙잡히면 이 재판에 이길 수 없다고 판단한 스튜어트 왕정 복구파의 로체스터 주교는 급히 이 머리가 나쁘고 가엾은 공작에게로 달려가서 '조지 1세와 접견해 봤자 불명예스러운 복종을 강요당할 뿐 용서받을 수 없다' 라고 설득시켜 어몬드 공작을 망명하게 했다.

그 후 어몬드 공작은 사법적으로 인정되는 모든 재산과 신분에 관한 권리의 박탈이 가결되었음에도 불구하고 그것에 항의하는 군중들이 치안을 문란하게 할 만큼의 큰 소동을 벌렸다. 이처럼 어몬드 공작에게는 적보다도 그를 신망하는 사람들이 수천 명이나 있었다. 아무튼 이런 일이 가능했던 것은 근본적으로 공작이 남을 기쁘게 해 주고자 하는 진실성이 있었고 그것을 그대로 실천했기 때문이다.

***

많은 사람들에게 호감이 가는 사람이 되라

인덕만큼 합리적이고 믿을 만한 것은 없다. 사람을 이끌고 성공할 수 있게 하는 것은 주변 사람들의 호의나 애정과 선의뿐이다. 그런 것들을 자기의 것으로 만들려면 어떤 식이 좋을까? 먼저 그것들을 자기의 것으로 만들려는 노력이 뒤따라야 한다. 내가 이야기하는 사람들의 호의나 애정이라고 하는 것은 가까운 연인들 사이의 사랑이나 친구들 사이의 우정처럼 한정된 감정과는 다르다. 그것은 우리들이 다양한 사람들과 관계를 가질 때, 자기만의 방법으로 상대를 기쁘게 할 수 있는 보다 넓은 의미의 호의나 애정과 선의를 말한다. 이러한 호의는 서로의 이해와 대립하지 않는 한 오래도록 지속된다. 이 보다 더 큰 호의를 받을 수 있는 대상은 가족을 포함하여 겨우 두세 사람 정도가 아닐까.

만일 내가 지금까지 살아온 40년 이상의 경험을 바탕으로 다시금 스무 살 인생을 산다면, 나는 가능한 한 많은 사람들로부터 사랑을 받기 위해 대부분의 인생을 여기에 할애할 것이다. 예전에는 항상 내게 호감을 가져 주기 바랐다. 그리고 여자의 마음을 사로잡기 위해 정신이 팔렸다. 이처럼 다른 사람의 처지나 상황에 아랑곳하지 않았던 지난날의 잘못을 결코 되풀이하지 않겠다.

만일 교제하고 싶은 사람이 주위로부터 평판이 좋지 않을 때 어떻게 처신하는 것이 좋을까. 그럴 때에는 많은 사람들이 평가하는 쪽으로 선택을 하면 된다. 그것이 네 삶의 가장 든든한 방패가 된다.

남자나 여자나 덕망에는 약한 법이다. 덕망을 무기로 삼는 사람은 성공의 가능성도 높고 여자도 덕망이 있는 남자에게 마음이 끌린다. 덕망을 얻는다는 것이 그렇게 어려운 일은 아니다. 우아한 몸가짐, 진지한 눈빛, 세심한 배려, 상대를 즐겁게 하는 말, 분위기, 옷차림 등 아주 사소한 것들이 모이고 모여 덕망이 높아지면 상대방의 마음을 사로잡을 수 있다.

그 동안 내가 만났던 사람들 중에 외모는 아름답지만 전혀 내 마음을 사로잡지 못한 여자도 있었고 사려 분별이 있는 사람이라도 좀처럼 마음이 끌리지 않는 사람도 있었다. 왜 그런지 너는 이미 알고 있을 것이다. 그것은 상대를 사로잡는 방법에 대하여 모르기 때문이다. 이것이 얼마나 큰 실수이냐?

나는 외모가 보통인 여성과 사랑을 나눈 적이 있었다. 그 여성은 기품도 있었고, 남을 기쁘게 하는 방법도 마음을 사로잡는 방법도 잘 알고 있었다. 나는 내 평생 그녀와 사랑을 했을 때만큼 몰두한 적이 없었던 것 같다.

8장

정성스럽게 뿌린 씨앗이 풍성한 열매를 맺는다

바른 행동으로 품격을 높여라

마음을 사로잡는 것이 어떤 것인지를 깊이 생각하고 분석해라

이제는 너라고 하는 작은 건축물도 그 골조 공사가 거의 마무리 단계에 있다. 앞으로 남은 일은 얼마만큼 아름답게 꾸미느냐 하는 것이 너의 임무이고 또한 나의 관심사이다.

너는 기본적으로 지성과 교양이라는 골조를 견고하게 해야 한다. 왜냐하면 골조 공사가 견고하지 않으면 값싼 건축물에 불과하기 때문이다. 다시 말해 골조 공사가 견고하면 값진 건축물이 되는 것과 마찬가지이다. 그렇나 아무리 견고한 골조 공사라도 장식이 없으면 매력이 반감된다. 너는 건축 양식 중에서도 가장 견고한 것이 토스카나식 건축이라는 것을 잘 알고 있겠지. 그런데 이 건축 양식은 세련되지도 못하고 멋도 없는 건축물이다.

견고하다는 점에서 말하자면 대형 건축물의 기초나 토대에는 제격라고 할 수 있겠지만 만일 모든 건축물을 이런 식으로 짓는다면 어떻게 될까? 아무도 그 건축물에 관심을 보이지 않는다. 겉모양이 투박하므로 나머지는 미루어 짐작할 수 있다. 그러니 굳이 내부의 마감된 상태나 장식을 보기 위해 안으로 들어갈 필요성을 느끼지 못할 것이다.

그런데 토스카나식의 토대 위에 간결하면서도 장중함이 돋보이는 도리아식이나 우아하고 경쾌한 이오니아식, 화려하고 섬세한 코린트식의 기둥이 아름답게 조화를 이뤘다면 어떨까? 건축에는 전혀 흥미가 없는 사람이라도 시선을 돌리게 되고, 무심히 지나던 사람조차도 발길이 저절로 머물게 된다. 뿐만 아니라 결국에는 내부가 궁금해서 안으로 들어가 본다.

***

마음을 사로잡는 것은 겉모습임을 명심해라

가령 여기에 한 사람이 있다고 치자. 지식과 교양은 보통 수준이지만 보기에도 인상이 좋고 말씨에도 호감이 간다. 또한 행동도 품위가 있고 정중하며 붙임성이 있다. 이번에는 지식이 풍부하고 판단력도 정확한 또 다른 사람이 있다고 치자. 그런데 앞에서 말한 사람과 다르게 그는 붙임성이 없다. 그렇다면 이 두 사람 중 어느쪽이 세상의 험난한 풍파를 잘 헤치고 살아갈까.

결론부터 말하자면 분명히 전자이다. 그것은 장식품으로 치장한 사람이 장식하려 들지 않는 사람을 마음먹은 대로 요리할 수 있기 때문이다.

전 인류의 4분의 3정도는 현명하지 못하다. 이 사람들의 대부분은 마음을 사로잡는 것이 겉모습이라고 생각한다. 그들은 겉으로 드러나는 예의 범절이나 몸가짐을 보고 판단하는 것이 전부이다. 그 이상 내면은 보려 들지 않는다. 그렇지만 그것은 현명한 사람도 마찬가지이다. 현명한 사람도 눈이나 귀에 거슬리는 것, 특별히 감동을 주지 못하는 것에 대해서는 관심조차 두지 않는다.

사람의 마음을 붙잡고자 한다면 우선 직접적인 감각에 호소하는 것이 중요하다. 눈을 즐겁게 하고 귀를 즐겁게 해 줘라. 그러면 상대방을 확실하게 사로잡아 마음을 빼앗을 수 있다. 그런 의미에서 본다면 처음부터 끝까지 품위를 유지하는 것이 바람직하다. 똑같은 행동이라도 품위를 느낄 수 있는 것과 그렇지 않은 것의 차이는 하늘과 땅 만큼이다.

한번 생각해 보아라. 대답할 때에도 침착하지 못하고 옷차림도 단정하지 못할 뿐더러 말까지 더듬거린다. 또한 작은 목소리로 소곤소곤 말을 하고 행동이 꾸물꾸물하다. 그러면 첫인상이 어떨까? 그 사람에 대하여 어떤 훌륭한 점이 있는지 살필 겨를도 없이 당장에 마음속으로부터 그를 거부해 버린다. 그러나 그와는 반대로 말과 행동에서 품위를 느낀다면 내면 따위는 몰라도 마음을 빼앗겨 호감을 갖게 된다.

무엇이 그렇게도 사람의 마음을 끄는지 구체적으로 설명하기란 어렵다. 한 가지 분명한 것은 말로도 어떻게 표현할 수 없는 사소한 동작이나 언행 등 그 자체로는 큰 의미가 없어 보이지만, 그래도 시간이 점점 흐르면서 마음을 사로잡는 것이 아닌가 싶다.

마치 모자이크 작품이 그 한 조각으로는 아름답지 못하다. 그러나 수많은 조각이 모여서 하나의 형태로 나타날 때 진정 아름답게 보이는 것과 같은 이치이다. 준수한 외모, 자연스러운 동작, 단정한 옷차림, 듣기 좋은 목소리, 여유가 있고 그늘이 없는 표정, 상대방과 맞장구를 치면서도 분명하게 자기 의사를 밝히는 말솜씨 외에도 여러 가지 많겠지만, 이런 것들 하나하나가 사람의 마음을 사로잡는 데 꼭 필요한 요소들이다.

명언 한마디

* 사람이 자기 일로 행복하려면 그 일을 좋아해야 한다. 그렇다고 자신의 일에 너무 집착해서는 안 된다.

존 러스킨

존 러스킨: 영국의 미술평론가·사상가. 미술 비평으로 주목을 받았으며 후에 인도주의적 사회 개혁을 주장했다. 주요 작품 「근대 화가론」이 있다.

훌륭한 사람을 흉내내되 자기 중심을 잃지 마라

남의 마음을 사로잡는 말과 행동은 누구나 익힐 수 있는 것인가? 훌륭한 사람들과 자주 어울릴 수 있는 기회가 있고 자기가 그렇게 하고자 하는 마음만 있다면 반드시 익힐 수 있다. 그러기 위해서는 주변 인물들을 관찰하고 그들의 말과 행동을 따라 하면 된다.

우선 호감이 가는 사람이라고 생각이 들면 나를 끌어당기는 말과 행동을 깊이 관찰하고 그 무엇이 좋은 인상을 남겼는지 분석해 보아라. 대개의 경우는 여러 가지 장점이 한데 어우러져 있다.

예컨대 겸손하면서도 당당한 태도, 비굴하지 않으면서도 경의를 표할 수 있는 행동, 우아하면서도 잘난 체하지 않는 말투에 단정한 옷차림 등이 그것이다. 아무튼 그것을 알았으면 실천을 해보아라. 그러나 그때 자기의 개성을 버리면서까지 무조건 흉내를 내서는 안 된다.

위대한 화가들도 처음에는 다른 화가의 작품을 흉내낸다.

그러다가 아름다움을 보는 관점이나 표현의 자유라는 관점에서 자기만의 개성을 찾는다. 그렇듯이 너도 처음에는 훌륭한 사람의 인격을 흉내내되 자기 중심을 잃지 않는 것이 무엇보다 중요하다.

많은 사람들로부터 예의 범절뿐만 아니라 호감을 준다는 평이 났을 경우, 그 사람을 주의 깊게 관찰해 보면 좋다. 윗사람에게는 어떠한 태도와 말씨로 대하고, 같은 또래의 경우는 어떻게 사귀고, 자기보다 나이가 어리거나 지위가 낮은 사람을 다룰 때에는 어떤 식으로 대하는가를 유심히 살펴보면 좋다.

상대방을 오전에 방문할 경우는 어떤 내용의 이야기를 하고 식탁이나 저녁 모임에서는 어떤 내용 등등, 그것들을 잘 관찰하고 따라서 하면 된다. 그러나 이럴 때 본능적으로 흉내만 낸다면 그 사람의 복제물에 불과하다는 것을 명심해라. 이렇게 노력을 하다 보면 깨닫는 바가 있다.

그런 사람은 남을 소홀히 대하거나 무시하는 일이 없다. 그리고 자존심이나 허영심에 상처가 될 만한 행동은 절대로 하지 않는다. 그와 동시에 만나는 상대에 따라 경의를 표하거나 평가와 배려하는 방법도 다르다. 그렇게 하므로써 상대방을 기쁘게 하는 것은 물론 마음까지 사로잡는다. 결국 뿌린대로 거두는 법이다.

호감을 가질 수 있는 사람도 사실은 그 동안 정성껏 씨앗을 뿌리고 가꾸어서 마침내 풍성한 열매를 지금 수확하는 것뿐이다. 호감을 살 수 있는 말과 행동은 흉내를 내는 동안에 반드시 익숙해진다. 현재의 자신을 돌아보면 쉽게 알 수 있다. 이처럼 자기 모습의 절반 이상은 흉내를 통해서 얻어지는 것이 아닐까? 중요한 것은 좋은 본보기를 선택하는 것과 무엇이 좋은 본보기인가를 변별하는 일이다.

사람이란 평소에 자주 만나 이야기하는 상대의 분위기와 태도, 장점이나 단점, 그리고 사고 방식까지 은연중에 닮아간다. 내가 아는 몇몇 사람들은 총명하지 못하다. 그런데 평소 현명한 사람들과 사귄 덕에 전혀 예상 밖의 기지를 발휘한다.

거듭 말하지만 훌륭한 사람들과 사귀면 어느새 그들과 닮아 간다. 그리고 거기에 집중력과 관찰력이 더해지면 머지않아 그들과 대등한 수준이 된다.

자기 주변에 호감을 가질 만한 사람이 없을 때에는 어떻게 하는 것이 좋을까? 그럴 때에는 주변에 있는 한 사람을 선택하여 꼼꼼히 관찰하면 된다. 아무리 훌륭한 사람이라도 단점이 있는 것과 마찬가지로 아무리 하찮은 사람이라도 반드시 장점이 있게 마련이다. 장점은 흉내내고 단점은 그것을 거울삼아 장점이 되게 해라.

호감이 가는 사람과 가지 않는 사람의 차이점은 무엇인가? 그것은 똑같은 말과 행동을 하더라도 그 태도가 전혀 다르다. 그것이 바로 호감을 사게 되는 이유이다.

세상을 사는 동안 다방면으로 인기가 있는 사람들이나 그렇지 못한 사람들이나, 말하고, 행동하고, 입고, 먹고, 마시고 하는 것은 똑같다. 다른 것은 그 방법과 태도이다. 어떤 식으로 말을 하고, 어떤 식으로 행동하고, 어떤 식으로 입고, 어떤 식으로 먹고, 어떤 식으로 마시는 것이 좋은 인상을 주는지 나쁜 인상을 주는지 잘 살펴보아라. 그러면 자기 자신이 무엇을 어떻게 해야 할지 자연스레 알게 된다.

명언 한마디

* 유죄 판결을 받은 닭

한 마리의 닭이 있었다. 그 닭은 갓난아이를 죽인 혐의로 재판에 넘겨졌다. 그것은 닭이 요람에 누워 있는 갓난아이의 머리를 쪼아서 죽게 했기 때문이다. 따라서 이 닭은 증인들의 증언에 의해 가엾게도 유죄 판결을 받고 처형되었다.

이 이야기는 비록 하찮은 닭이라 할지라도 법에 의해 유죄가 확정되지 않는 한 함부로 처형할 수 없다는 것을 일깨워 주는 좋은 본보기이다.

탈무드

우아한 몸동작을 익혀라

사람의 마음을 잡으려면 어떻게 하는 것이 좋을까. 다음의 몇 가지 방법을 이야기하겠다. 이것을 참고하면 도움이 된다.

얼마 전에 너를 항상 칭찬해 주시던 하비 부인의 편지를 받아 보았다. 어느 파티에선가 네가 춤을 추고 있는 것을 보았다고 하는데, 그 춤 동작이 매우 우아하고 아름다웠다 하니 나로서는 무척이나 기분이 좋았다. 우아하고 아름답게 춤을 출 수 있을 정도라면 일어서는 것도, 걸음걸이도, 앉는 자세도, 우아하게 보일 것이 분명하기 때문이다. 서고, 걷고, 앉는다는 동작은 비록 간단하지만 춤을 잘 추는 것보다 훨씬 더 중요하다. 춤은 서투른데 서 있는 모습이 우아한 사람도 있다. 그렇다 해도 춤을 잘 추는 사람 치고 몸가짐이 흉한 경우는 거의 없다. 우아하게 일어설 수도 있고 우아하게 걸을 수도 있는데 우아하게 앉을 수 있는 사람은 그리 많지 않다. 사람들 앞에 나서면 위축이 되어서 그런지 부자연스럽게 등을 세운 채로 앉는 사람도 있고, 눈치나 조심성이 없는 사람은 온몸의 체중을 의자에 맡기듯이 뒤로 털버덕 주저 앉는 사람도 있다. 이런 자세는 매우 친한 사이라 해도 좋은 인상을 줄 수 없다. 보기 좋은 자세로 앉으려면 몸과 마음을 편하게 한 다음 온몸의 체중을 의자에 맡기지 마라. 앉을 때에는 몸을 꼿꼿하게 세워 부동의 자세를 취할 것이 아니라 힘을 뺀 상태로 자연스럽게 앉아야 한다. 너도 할 수 있겠지만 만일 그렇지 못하다면 위에서 말한 대로 평소에 앉는 연습을 해라.

사소하지만 아름다운 몸동작이 여성뿐만 아니라 남자의 마음까지도 사로잡는다. 그것은 직장에서도 마찬가지이다. 우아한 동작이 얼마나 사람의 마음을 사로잡는지 명심해라.

예컨대 한 여자가 부채를 떨어뜨렸다고 가정해 보자. 유럽에서 가장 우아한 젊은이나 가장 우아하지 않은 젊은이나 부채를 주워 그녀에게 건네 주는 것은 똑같다. 그러나 그 결과에는 큰 차이가 있다. 우아한 젊은이는 부채를 주워 줌으로써 고맙다는 답례를 받게 되겠지만 우아하지 못한 젊은이는 그 동작이 서투르기 때문에 웃음거리가 된다. 우아한 동작은 공공 장소를 떠나 일상적인 생활에서도 필요하다. 사소한 일이라고 우습게 생각하면 막상 어떤 행동을 하려 할 때 난감해진다. 이것은 한 잔의 커피를 마시는 데에 있어서 방법이 서투르면 찻잔 속의 커피가 밖으로 흘러 자칫 실수하는 것과 마찬가지이다.

***

주변과 조화를 이루는 것이 최고의 옷차림이다

이제는 너도 옷차림에 신경을 써야 할 나이가 되었는데 다른 사람들도 그렇지 않을까? 나는 상대방의 옷차림에서 어딘지 모르게 잘난 체하는 듯한 느낌이 들면 그 사람의 사고 방식도 약간은 비뚤어진 것으로 단정해 버린다.

요즘 일부 젊은이들이 옷차림을 통해 자기 주장을 한다지만, 화려한 옷차림은 속이 비어 있음을 고의로 감추는 것과 같아서 기분이 언짢다. 덧붙여 옷차림에 전혀 신경을 쓰지 않는 젊은이도 속이 꽉 찼는지가 의심스럽다.

현명한 사람은 조화롭고 자연스럽게 마음을 쓴다. 또한 특별하게 튀는 옷을 입지 않는다. 그들은 현지 사람들과 비슷하거나 똑같은 정도의 복장을 한다. 옷차림이 지나치게 화려하면 잘난 체하는 것 같아 보이고, 초라하면 옷차림에 신경을 쓰지 않은 것 같아 보여 실례가 된다.

내 생각에 젊은이는 초라한 것보다 화려한 것이 낫다. 화려한 옷차림은 나이가 들면서 점점 수수해진다. 그렇다고 해도 지나칠 정도로 관심이 없으면 서글퍼진다. 마흔 살에는 사회에서 밀려나는 사람이 되고 쉰 살에는 남이 싫어하는 사람이 된다. 그러므로 주변 사람들이 화려한 옷차림을 하고 있을 때에는 자신도 화려하게, 검소한 옷차림을 하고 있을 때에는 자신도 검소하게 하는 것이 좋다. 다만 바느질이 잘 되고 몸에도 잘 맞는 옷을 입어야 한다.

일단 그날 입을 옷을 결정하고 입었다면 두 번 다시 그 옷에 대해서는 생각을 말아야 한다. 콤비네이션은 이상하지 않은가, 색상과 디자인은 잘 어울리는가 등등을 생각하다 보면 행동이 어색해진다. 그러니 한 번 입은 후로는 더 이상 옷차림에 신경 쓰지 말고 자연스럽게 행동하면 된다. 혹시 너는 양말을 흘러내리게 신는다거나 구두끈을 매지 않고 다니는 일은 없겠지. 그것만큼 칠칠찮고 점잖지 못한 것도 없다.

남에게 좋은 인상을 주려면 무엇보다도 청결해야 한다. 너는 손이나 손톱을 항상 청결하게 유지하고 있느냐? 매일 같이 식사를 마친 후에는 이를 닦고 있느냐? 치아는 특히 중요하다. 언제까지나 자기의 치아로 음식을 씹으려면 또 그렇게 고통스러운 치통을 앓지 않으려면 항상 주의를 게을리 해서는 안 된다. 덧붙여 치아가 나빠지면 고약한 냄새가 나기 때문에 주위 사람들에게도 실례가 된다. 너는 건강한 치아를 가지고 있는 것 같은데 나는 그렇지 못하단다. 젊었을 때부터 주의를 게을리 했기 때문에 지금은 엉망이다. 식사를 마친 후에는 따뜻한 물과 부드러운 칫솔로 4~5분간 닦고 매일 대여섯 번 양치질하는 습관을 들이면 좋다. 치열에 대해서는 그곳에 유명한 전문의가 있다고 들었다. 지금이라도 찾아가서 이상적인 치열이 아니면 교정을 부탁해라.

***

표정 관리에 관심을 가져라

사람의 마음을 사로잡는 방법에는 여러 가지가 있다. 그중에서도 가장 효과적인 것이 얼굴 표정이다. 그런데 너는 이런 사실을 전혀 모르고 있는 것 같다. 대부분의 사람들은 자신의 얼굴에 불만이 있으면 그것을 감추거나 고치려고 무던히 노력을 한다. 못생긴 얼굴로 태어난 사람이라면 더욱 그렇다. 보다 낫게 보이려고 고상한 행동과 상냥한 미소를 짓는다. 하지만 결국에는 밀턴의 「실낙원」에 등장하는 악마처럼 더욱 무서운 얼굴이 된다. 그럼에도 불구하고 이것을 극복하기 위해 피나는 노력을 하는데, 너는 하느님께서 주신 유일한 얼굴을 고맙게 받아들이기는커녕 그것을 욕되게 한다. 도대체 네 표정은 왜 그 모양이냐? 자기 딴에는 남자답고, 사려 깊고, 결단력이 있어 보이는 표정이라고 생각하겠지만 그것은 당치도 않은 착각이다. 아무리 잘 봐주려고 해도 구령 붙일 때의 모습 그대로, 위엄있는 척하는 하사의 얼굴과 똑같다.

내가 알고 있는 한 젊은이는 의원이 되자 원내의 거울 앞에서서 나름 표정과 동작을 연습했는데, 때마침 그곳을 지나던 동료 의원들에게 들켜 한바탕 웃음거리가 되었다. 정말이지 난 웃을 수가 없었다. 그것은 대중 앞에 섰을 때의 표정과 동작이 얼마나 중요한가를 그는 아는 것 같았기 때문이다. 또한 웃고 있는 의원들보다 이 젊은이가 더 현실에 대한 이치를 잘 알고 있다는 생각에서 그랬다. 이런 말을 하면 너는 틀림없이 이렇게 말을 할 것이다.

"그렇다면 매일 부드러운 표정을 짓기 위해 신경을 쓰란 말입니까?"

그 질문에 대답하겠다. 매일 신경을 쓰라는 것은 아니다. 2주면 족하다. 그런 후에는 얼굴 표정과 관련하여 어떤 신경도 쓸 필요가 없다. 지금껏 신경을 쓰지 않고 욕되게 해 온 부분의 절반만이라도 좋으니 노력을 해라.

우선 상냥한 눈웃음을 머금고 얼굴 가득 미소를 띠는 듯한 표정이 좋다. 그런 의미에서 수도사의 표정을 흉내내 보면 어떨까? 선하고, 자애롭고, 엄숙하면서도 열의가 담긴 표정에는 나름 마음을 끌만한 매력이 있다고 생각하는데 너는 어떻게 생각하느냐? 물론 표정이 전부는 아니다.

대부분의 사람들은 얼굴에 마음이 나타난다고 생각한다. 그러니 표정으로 상대방의 마음을 사로잡아 호감을 사려하는 것이다. 그래도 표정 관리가 귀찮다고 생각하느냐? 그렇다면 네게 물어보겠다. 너는 무엇 때문에 그토록 춤을 능숙하게 출 정도로 노력하느냐? 그것도 귀찮은 적이 있을 터인데 적어도 의무는 아니었을 것이다. 아마 너는 이렇게 대답하지 않을까.

"그것은 사람의 마음을 사로잡기 위해서 입니다."

그래 옳은 말이다. 그렇다면 너는 어째서 고급 옷을 입고 머리를 퍼머했느냐? 그것 역시도 귀찮은 일이 아니더냐. 머리는 그냥 내버려두는 것이 편하고 옷도 싸구려를 입는 것이 편할 것이다. 그런데 어째서 그런 것에 신경을 쓰느냐? 너는 또 이렇게 대답하겠지.

"그것은 남들에게 좋은 인상을 주기 위해서 입니다."

그것 또한 옳은 말이다. 그것을 알고 있다면 그 다음은 도리에 따라서 행동하면 된다.

춤이나 옷차림이나 머리 모양 보다도 더 근본적인 것이 있다. 그것은 곧 '표정'을 관리하는 일이다. 표정이 좋지 않으면 춤도 옷차림도 머리 모양도 가치가 없게 된다. 어쨌든 네가 사람들 앞에서 춤을 출 기회는 기껏 일 년에 6~7회 정도이지만 너의 표정은 하루도 빠짐없이 365일 드러낼 수밖에 없음을 명심해라.

지금은 호감을 사는 일에 열중할 때이다

다음과 같은 겉모습 가꾸기를 몸에 익혀라. 아무리 풍부한 지식을 가지고 있어도 아무리 약삭빠르게 처신을 한다 해도 생각한 만큼 성공하지는 못한다. 지금이야말로 겉모습 가꾸기를 실천할 때이다. 지금 익히지 못하면 평생 익히지 못한다. 그러니 모든 일을 뒤로 미루고 이 일에 열중해야 한다. 내가 이런 편지를 써서 네게 겉모습 가꾸기에 열중할 것을 충고할 쯤, 융통성이 없는 사람이나 학문과 지식은 있으되 세상 물정도 모르는 사람들은 도대체 어떤 생각을 할까?

아마 경멸하는 표정으로 "아버지가 자식에게 주는 교훈이라면 그 보다도 더 좋은 것이 있을 텐데"라고 말할 게 뻔하다. 혹여 그들의 사전에는 '호감을 갖는다' 라든가 '남에게 호감을 준다' 라는 말은 없을 것이다. 그러나 현실적으로 이 말이 널리 쓰이고 있다는 것은 그만큼 사람들이 '호감을 산다' 라는 말에 관심이 있다는 것이다. 또한 화제로 삼아 그것을 원하고 있기 때문에 결코 하찮게 웃어넘길 일이 아니다.

***

부모가 자녀에게 가르쳐야 할 예의 범절

평소에도 생각하고 있는 일이지만 대부분의 젊은이들은 예의가 없고 볼썽사납기 짝없다. 그만큼 부모들이 예의 범절을 우습게 알거나 또는 관심이 없거나 둘 중 하나이다.

그들은 초등 교육과 대학 교육 그리고 유학을 보낸다. 그러면서도 자식들의 교육 과정이나 성장 과정을 눈여겨보지도 않고 그저 무관심이나 부주의로 일관한다. 설령 관심이 있다고 해도 그것을 평가하거나 분석하지도 않고 그냥 세월만을 보내면서 '괜찮아, 다른 아이들처럼 잘하고 있을 거야' 라는 식의 위안을 한다. 사실 다른 아이들과 마찬가지로 학교에 다니고 있는 것은 맞다. 그러나 대부분 잘하고 있는 것은 아니다.

그들은 학창 시절에 즐겼던 유치하면서도 천한 장난을 계속하고 있다. 또한 대학에서 물든 편협한 태도와 유학 중에 익힌 거만한 태도를 고치지 않는다. 그것을 부모가 지적해 주지 않는 한 딱히 주의를 줄 사람이 없다. 그러니 젊은이들은 자신의 몸에 밴 잘못된 습관을 모른 채 무례한 행동을 계속한다.

앞서 여러 번 이야기한 것과 같이 자식에게 예의 범절이나 사람을 대하는 태도에 대하여 이것저것 말해 줄 사람은 오직 부모뿐이다. 그것은 자기가 어른이 된 후에도 마찬가지이다. 아무리 친한 친구라고 해도 부모와 같은 연륜과 경험이 없으므로 올바른 조언은 기대할 수 없다. 그래서 말인데 너는 나와 같이 언제나 충실하면서도 우호적인 사람이 있다는 것을 다행으로 생각해라. 나는 너에게 단점이 있다면 그것을 빨리 발견하여 고치게 하고, 장점이 있다면 빨리 발견하여 칭찬하고자 한다. 이것이 부모로서 나의 책무이다.

명언 한마디

* 우리는 자신의 생각에 지나치게 집착해서는 안 된다. 낡은 생각을 버리고 새로운 의견을 수용할 수 있는 자세가 필요하다. 또한 편견을 버리고 자유로운 사고로 판단해야 한다.

예컨대 바람의 방향을 모르고 언제나 같은 방식으로 돛을 고정시키는 뱃사공이라면 세월이 흘러도 그가 목적하는 항구에 도착할 수 없는 것과 같은 이치이다.

조지 헨리(미국의 경제학자/사회개혁론자)

전인 교육은 그 무엇보다 중요하다

사람이란 원래 완벽한 것이 아니다. 그것이 가능하다면 완벽에 가깝도록 최선을 다하는 것이다.

네가 태어난 이후로 내가 너에게 바라는 소원이 있다. 나는 이 소원을 이루기 위해 변함없이 노력을 한다. 또한 그 수고를 게을리 한 적도 없고 투자를 아끼지도 않았다. 그것은 교육이 타고난 자질 이상으로 발전시키기 때문이다. 머지않아 너도 경험을 통해서 알게 될 것이다.

나는 아직도 사물에 대한 판단력이 부족한 어린 너에게 착한 마음이나 존경하는 마음을 먼저 가르쳤다. 그런데 너는 그것을 마치 문법을 암기하듯이 기계적으로 배웠다. 그리고 너 자신의 판단에 따라 그것을 지금 행동으로 실천하고 있다. 하기야 선을 실천하는 사람이 존경받는 것은 당연한 일로써 보통 사람들이 배우지 않아도 아는 일이다.

샤프츠버리 경은 이런 말로 아주 적절하게 표현했다.

"나는 남들이 보기 때문에 선을 행하려고 하는 것이 아니라 나 자신을 위해 선을 행한다. 그것은 남들이 보기 때문에 몸을 깨끗하게 하려고 하는 것이 아니라 나 자신을 위해 깨끗하게 하는 것과 같다."

그러므로 나는 너에게 판단력이 생긴 이후로 선을 행하라는 말은 결코 한 적이 없다. 그것은 너무나도 당연한 일이기 때문이다. 너에게 실질적이면서도 한 쪽으로 치우치지 않는 교육을 위해 지금껏 노력했다.

처음에는 나, 그 다음은 하트 씨, 그리고 최근에는 너의 열의가 더해져 나의 기대에 부응하고 있다.

끝으로 사람을 사귀는 태도 즉 예의를 말하려고 한다. 이것을 알지 못하면 그 동안 네가 몸에 익힌 모든 것이 완전하지 못하게 되고 빛을 잃게 된다. 어느 의미에서 그것을 모른다면 헛된 것이다. 너는 유감스럽게도 예의가 부족하다. 그러니 이것에 촛점을 맞춰 편지를 쓰겠다.

***

최대한 자연스럽게 예의를 표해라

일반적으로 예의란 '자신을 억제하여 상대방에게 맞추려는 분별력과 양식적인 행위' 라고 그럴듯이 말을 하는데 여기에 이의를 제기할 사람은 없다. 그러나 누구든 분별력이 있고 양식적이라 해도 예의바른 사람이라 할 수 없음은 오히려 놀랄 만한 일이다.

확실히 예의에 대한 표현은 사람 · 지역 · 환경 등에 의해 큰 차이가 있다. 그것은 실제로 자신의 눈으로 보고 귀로 듣지 않으면 알 수 없는 것과 같다. 그렇다 해도 예의를 존중하는 마음 그 자체는 어느 시대나 어디를 가나 변함이 없다. 따라서 예의바른 사람이 되느냐 못 되느냐는 예의바른 사람이 되려는 의지가 있느냐 없느냐에 달려 있다.

예의가 특정 사회에 미치는 영향은 도덕이 사회 전반에 미치는 영향과 비슷하다. 그것은 사회를 하나로 묶고 안정성을 높인다는 측면이 있다. 이와 비슷한 것은 그것뿐이 아니다. 일반 사회에는 도덕적 행위를 권장하기 위하여 또는 부도덕한 행위로부터 시민을 보호하려고 법률이라는 것을 만들었다. 이와 마찬가지로 특정한 사회에도 예의바른 행위를 권장하고 버릇없는 행위를 지탄하기 위해 불문율 같은 것이 존재한다. 이렇게 말하면 법률과 불문율을 동일시하는 것에 놀라겠지만 내게는 공통적인 것처럼 생각이 든다.

부도덕하게 남의 땅에 침입한 사람은 법에 의해서 처벌을 받는 것과 같이 상대방의 평화스러운 사생활에 침입한 사람도 또한 사회 전체의 암묵적인 합의에 의하여 지탄을 받게 된다.

문명 사회를 사는 사람이라면 누구나 상대방에게 친절한 행동과 마음을 써야 하는 것은 물론 약간의 희생을 필요로 한다. 그것은 누구로부터 강요를 받은 것이 아니라 자연적인 습관으로 일종의 암묵적 약속과 같다.

예컨대 왕과 신하가 암묵적 약속으로 보호와 복종의 관계에 있는 것과 마찬가지이다. 그러기에 어떤 경우든 약속을 하고 그 약속을 어긴 자가 불이익을 받게 되는 것은 당연한 일이다.

내 개인적으로 말하자면 예의를 다한다는 것은 착한 것 다음으로 사람의 마음을 사로잡는 것이 아닌가 생각한다. 나 자신도 '아테네의 장군 아리스테이데스(고대 그리스의 정치가, 장군. 청렴하며 매사에 엄정한 태도와 공평한 일 처리로 유명함)와 같다' 라는 찬사를 받게 될 경우 가장 기쁘겠지만 그 다음으로 기쁜 것은 '예의 바른 사람' 이라는 말을 듣는 것이다. 그만큼 예의는 중요하다.

명언 한마디

* 누군가와 관계를 맺는다는 것은 내가 그를 위해 기꺼이 시간을 내준다는 것이다.

생떽쥐베리

생떽쥐베리: 주요 작품 「어린왕자」「야간비행」

상황에 따른 예절 이야기

예의 전반에 관한 이야기는 이 정도로 해 두자. 이젠 상황에 따른 예절을 이야기하겠다.

공적 지위가 높은 사람이나 윗사람에게 누구든 예의를 표한다. 문제는 그것을 어떻게 표현하느냐 하는 것이다. 분별력이 있고 인생 경험이 풍부한 사람은 어깨에 힘을 주지 않고도 자연스럽게 최대한의 예의를 표한다. 그런데 지위가 높은 사람들과 별로 만나 본 적이 없는 사람은 안타까울 정도로 몸과 마음이 경직된 채 어쩔 줄 몰라 한다.

윗사람 앞에서 명심해야 할 것은 오직 한 가지, 어려워하지 말고 자연스럽고 우아하게 예의를 다 하는 일이다. 이와 같이 하려면 좋은 본보기를 관찰하고 본받아 몸에 익히는 것뿐이다. 특히 이렇다 할 윗사람이 없는 모임에 초대되었을 때, 적어도 잠시 동안만큼은 모두가 똑같은 입장이라고 생각하면 된다. 이 경우는 원칙적으로 어려워하거나 존경을 표해야 할 사람이 없기 때문에 행동도 자유로워지고 긴장해야 될 일도 줄어든다. 다만 명심해야 할 것은 특별히 신경 쓸 상대도 없겠지만 누구나 최소한의 예의나 배려를 기대하고 있다는 사실이다. 그러므로 주위에 산만해지거나 상대에게 무관심해서는 안 된다.

예컨대 누군가가 다가와서 시시콜콜한 이야기를 꺼낼 때 우선은 정중하게 대해라. 상대방의 이야기를 건성으로 듣다가 그것이 드러난다면 아무리 대등한 관계라고 해도 이미 '실례' 정도가 아니라 '큰 무례' 가 된다. 이것은 상대방이 여자일 경우에는 특히 더 그렇다. 어떤 지위를 막론하고 주목받는 것 이상의 아부성 배려를 받고 싶어한다. 그 여자의 작은 소망, 좋아하는 것과 싫어하는 것, 취미, 심지어는 변덕뿐만 아니라 콧대 높은 것까지 신경을 쓰거나 기분을 맞춰야 한다. 그리고 사전에 그 여자가 원하는 것이 무엇인지를 알아서 말을 걸거나 꺼내야 한다. 그렇지 않으면 그는 뭔가 부족하다고 생각한다.

이처럼 일반 사람들과의 모임에서 지켜야 할 예의는 끝없다. 뿐만 아니라 너에게도 실례가 되니 여기까지 해 두자. 그 뒤는 너의 양식으로 판단하고 무엇이 이로운가를 알아 처신하기 바란다.

***

오만한 행동은 많은 사람을 적으로 만든다

네 방을 청소해 주거나 구두를 닦아주는 사람들이 있다. 행여 그들을 보고 너는 태어날 때부터 잘났다고 생각한 적이 있느냐? 너는 하늘이 너에게 주신 행운에 고마워해야 한다. 불행하게 태어난 사람들을 멸시하거나 쓸데없는 말로 그들의 불행을 다시금 되내이게 해서는 안 된다.

나는 나와 동등한 사람을 대할 때 보다도 사회적 신분이나 지위가 낮은 사람들을 대할 때 더 많은 신경을 쓴다. 그것은 태어날 때부터 받은 신분이나 지위를 이용하는 것처럼 보일까 봐 그런 것이다.

젊은이들은 생각이 짧아서 권위적인 태도와 버릇없는 명령조의 말투를 용기나 기개라고 착각한다. 이런 젊은이들은 생각이 짧고 주의력이 부족한 탓도 있겠지만 보통은 이런 것에 신경을 쓰려고도 하지 않는다. 이런 오만한 태도는 오해 소지가 많다. 때문에 신분이 낮다는 이유만으로 무시를 당했다고 생각한 상대방이 화를 내는 것도 어찌 보면 당연하다. 그렇게 되면 상대방은 언제까지나 적개심을 품게 마련인데 결국 불이익을 당하는 쪽은 젊은이 쪽이다. 그런데도 신분이나 지위가 낮은 사람들에게는 신경을 쓰지 않을 뿐더러 주목할 가치가 없다는 듯 예의조차도 갖추지 않는다. 사실 나도 네 나이 때에는 그랬다.

사회적으로 지위가 높은 사람, 특별하게 외모가 준수하고 인격이 훌륭한 사람에게만 더 잘 보이려고 노력했다. 반면 나머지 사람들에게는 일반적인 예의조차도 지키지 않았을 뿐더러 이것을 쓸데없는 것이라 생각했다. 결국 그 밖의 사람들에게는 전혀 예의를 갖추지 않아 화를 자초했다. 그 후로 내게 돌아온 것은 비난뿐이었다. 이와 같은 어리석은 행동의 결과로 나는 많은 남자와 여자를 적으로 만들었다. 가치가 없다고 여겼던 그들이 최고의 호평을 받는 자리에서 결정적인 순간 나에 대한 평가를 절하했다. 나는 한순간 그들에게 오만한 사람으로 낙인찍혔는데 그것은 그동안 내가 처신을 잘못했고 분별력이 모자란 탓이었다.

"인심을 얻는 왕이야말로 태평한 세상과 권력을 오래 유지할 수 있다"라는 옛 격언이 있다. 신하의 인심을 얻는 것은 어떠한 무기보다도 강하다. 신하의 충성을 원한다면 신하에게 공포심을 주는 것보다 오히려 인심을 얻어야 한다. 이와 같은 이야기는 일반인에게도 해당된다. 즉, 사람의 마음을 사로잡는다는 것은 강한 힘을 가지고 있다는 뜻이다.

명언 한마디

* 부드러운 말로 상대를 설득하지 못하는 사람은 위엄이 있는 말로도 설득하지 못한다.

안톤 체호프

안톤 체호프: 러시아 남부 타간로크에서 출생. 1879년 모스크바대학 의학부에 입학. 가족의 생계를 위하여 단편 소설을 오락 잡지에 기고함. 주요 작품 「결투」 「갈매기」

***

친하면 친할수록 예의를 지켜라

다음은 절대로 실수할 리가 없다고 자만하다 뜻밖에 실수를 저지르는 경우이다. 아주 가까운 친구나 지인에게 그런 실수를 저지르기 쉽다. 친한 사이에는 편안한 마음을 가져도 좋다. 또 그래야 하는 것이 당연하다. 그리고 그러한 관계가 자기의 생활에 편안함을 주는 것도 사실이다. 그렇다고 침범해서는 안 될 영역까지 침범하라는 것은 아니다. 생각도 없이 입에서 나오는 대로 말을 하면 아무리 친한 친구 사이라 해도 기분이 상할 것이다. 이 같이 함부로 행동하면 뜻하지 않게 자신을 망친다.

그럼 구체적으로 예를 들어 보겠다. 나와 네가 한 방안에 있다고 치자. 나는 내가 무엇을 해도 상관이 없다고 생각을 하고 너 또한 너 하고 싶은 대로 한다. 이때 우리 두 사람 사이에는 어떤 예의나 자제심도 필요없는 것일까? 결코 그렇지 않다. 아무리 상대가 너라고 해도 어느 정도의 예의는 지켜야 한다. 정도 차이는 있겠지만 그것은 다른 사람에게도 마찬가지이다. 만약 네가 이야기하고 있는 동안에 내가 계속해서 딴 생각을 하고 있거나, 네가 보는 앞에서 크게 하품을 하거나 코를 골면서 잠을 잔다. 그러면 나는 얼마나 교양이 없는 행동을 했는가에 대하여 부끄럽게 생각할 것이다. 그리고 너는 나를 멀리하게 될 것을 각오해야 한다. 그렇다. 아무리 친한 사이라도 친분을 오래 유지하려면, 또 오래 지속시키려면, 어느 정도의 예의는 필요한 법이다.

남편과 아내가 또는 남자와 여자가 하루 종일 함께 지낼 때, 자제심도 예의도 모두 무시한 채 지낸다면 어떻게 되겠는가. 얼마 안 가서 서로의 애정도 식어갈 것이고 또한 경멸하게 될 것이다.

누구에게나 단점은 있다. 그런데 그것을 속속들이 드러내는 것은 예의에 어긋나는 일일 뿐만 아니라 어리석은 짓이다. 그렇다고 해서 지나치게 예의를 지키라는 것은 아니다. 그렇게 한다면 부자연스러워질 게 뻔하다. 너는 너에게 맞겠금 예의를 지키면 된다. 그렇게 하는 것이 예의에 맞는 일이다. 또한 언제까지나 친밀한 관계를 유지하려면 그것이 최선의 방법이다. 예의에 관해서는 이 정도로 하겠다. 아무쪼록 평소에 예의를 익혀라.

다이아몬드도 원석일 때에는 아무런 쓸모가 없다. 값어치는 있을지언정 갈고 닦아야 아름다운 보석이 되고 비로소 사람들이 가지고 싶어한다. 물론 다이아몬드가 아름다운 것은 원석이 단단하고 밀도가 높기 때문이다. 그러나 최종적으로 갈고 닦지 않는다면 언제까지나 가치가 없는 원석으로 남게 되고 결국에는 호기심이 많은 수집가의 진열장에 들어갈 뿐이다. 너도 내실이 있을 것으로 믿는다. 그럼 지금까지와 같은 정도로 네가 쓰일 곳을 알고 정성을 다해라. 그러면 주위의 훌륭한 분들이 너를 갈고 닦아 진정 아름답게 빛나는 작품으로 만들어 줄 것이다.

9장

너에게 전하는 지혜로운 삶

야무지게 자신을 키워라

끊임없이 부드러운 언행과 굳은 의지를 갖도록 노력해라

언젠가 나는 너에게 항상 생각하고 행동하라는 당부의 편지를 쓴 적이 있다.

너는 기억하고 있느냐? '언행은 부드럽게, 의지는 강하게' 라는 말만큼 인생에 있어서 유용한 말은 없다.

오늘은 원로 교수의 신분으로 이 말에 대하여 강의를 해보겠다. 먼저 이 말을 구성하는 두 가지 요소, 즉 '언행은 부드럽게' 와 '의지는 강하게' 를 우선적으로 설명한 다음 이 두 가지 요소가 하나가 되었을 때에 어떤 효과가 있는지를 정의하고, 끝으로 그 실천 방향을 언급하겠다.

사람을 대할 때 언행만이 부드러울 뿐, 의지가 강하지 못하면 어떻게 되겠는가? 이런 경우 붙임성만 좋을 뿐, 비굴하고 소심하고 소극적인 사람으로 전락해 버린다. 의지는 강한데 언행이 부드럽지 못한 사람은 어떨까? 그런 사람은 용맹스럽지만 결국 사납고 저돌적인 사람이 된다. 실은 양쪽 모두를 갖추는 것이 바람직하다. 그러나 그런 사람은 드물다. 의지가 강한 사람 중에는 지나치게 혈기가 왕성해서 언행이 부드러운 것을 '나약함'으로 단정 짓는다. 그렇기 때문에 무엇이든 힘으로 밀어붙이려 한다. 이럴 경우 상대방이 내성적이고 소심하면 자기 멋대로 일을 진행할 수 있다. 그러나 그렇지 않을 경우에는 상대방의 분노와 반감을 사게 되므로 목적한 바를 이룰 수 없다. 반면 사람을 대할 때 언행이 부드러운 사람들 중에는 교활한 사람이 많다. 이런 사람은 부드러운 대인 관계를 미끼로 상대방을 소유하려고 하는데 이른바 팔방미인이다. 마치 자기 자신의 의지 따위는 없는 것처럼 그때그때 임기응변식으로 상대방의 비위만 맞추어 간다. 이럴 경우 어리석은 사람을 속일 수는 있다. 그러나 그 밖의 다른 사람은 속일 수도 없고 속이지 못하면 즉시 들통이 나고 만다.

언행은 부드럽게 하되 기회주의자가 되어서는 안 된다. 그렇다고 의지는 강하되 강압적인 사람이 되어서도 안 된다. 결코 쉬운 일은 아니지만 부드러운 언행과 강한 의지를 갖도록 끊임없이 노력해라. 그것이 바로 현명한 사람이 되는 지름길이다.

그러면 이 두 가지를 두루 갖추게 될 때 어떠한 점이 좋은가. 남들에게 명령을 하는 입장에 서 있을 경우, 공손한 태도로 명령을 하면 상대방은 그 명령을 순순히 받아들이고 기분 좋게 실천을 한다. 그러나 무턱대고 고압적으로 명령을 하면 그 명령은 건성으로 받아들려지게 되고 결국 하던 일도 중도에 멈춰 버린다.

예를 들어서 내가 아랫사람에게 "술을 한 잔 가져와라" 하고 강압적으로 명령했다. 그런 식으로 명령을 했다면 아랫사람이 실수한 척 가지고 오던 술을 내 옷에 엎지를 수도 있다. 그것은 내가 그런 일을 당했다 해도 그럴만한 행동을 했기 때문이다. 물론 명령을 내릴 때에 '복종하기 바란다' 라는 의지를 냉정하고도 강력하게 보여 줄 필요는 있다. 그러나 그보다 명령에 따를 수 있도록 배려하는 것이 중요하다. 그것은 네가 윗사람에게 어떤 부탁을 하거나 당연한 권리를 요구할 때에도 마찬가지이다. 부드러운 언행으로 부탁을 한다 해도 네 부탁을 거절하고 싶은 판에 강한 의지로 부탁을 한다면 그것이 빌미가 된다. 그렇다고 반드시 부드러운 언행으로 부탁하라는 것은 아니다. 결코 뒤로 물러서지 않는 끈기와 품위 있는 행동을 앞세워 부탁하는 것이 무엇보다 중요하다.

특히 지위가 높은 사람일수록 원칙대로 행동하는 경우는 드물다. 평소에는 정의를 위해서 또는 국가의 이익을 위해서 거절했던 일도 상대의 집요함에 지거나, 원한을 사는 것이 두려워서 결국 고개를 끄덕이는 경우가 많다.

부드러운 언행으로 그들의 마음을 사로잡아라. 그렇게 하면 적어도 거절할 빌미는 주지 않는다. 또한 강한 의지를 보이면 평상시에는 들어주지 않았던 일도 들어주게 마련이다.

지위가 높은 사람은 여러 가지 청탁이나 불만에 익숙해져 있다. 마치 외과 의사들이 환자의 통증에 별 반응이 없는 것과 마찬가지이다. 하루 종일 똑같은 하소연을 듣고 있노라면 어느 것이 진실이고 어느 것이 거짓인가를 분별하기도 어렵다. 그렇기 때문에 인간적으로 호소하는 것은 좀처럼 들어주지 않는다. 그러니 또 다른 감정으로 호소할 수 밖에 없다. 그것은 결코 무턱대고 밀어붙이는 것이 아니다.

이를테면 부드러운 말씨와 태도로 호감을 산다던가, 아니면 끈질기게 호소해서 '이젠 알았으니 그만 하세요' 라는 말을 들을 정도로 설득한다던가, 혹은 품위를 떨어뜨리지 않는 범위 내에서 '들어주지 않는다면 원망을 하겠습니다' 라는 듯이 냉담한 태도로 상대방에게 두려움을 갖게 한다던가, 하는 것들이 진정으로 강한 의지의 표현이다.

부드러운 언행과 강한 의지를 겸비하는 것이야말로 무시를 당하지 않으면서도 사랑을 받고, 미움을 사지 않으면서도 존경을 받는 유일한 수단이다. 또한 세상의 지혜가 있는 사람들이 한결같이 위엄을 몸으로 익히는 방법이기도 하다.

명언 한마디

* 겁이 많아 머뭇거리거나 적극적이지 못한 사람은 모든 것이 불가능하다. 왜냐하면 모든 것이 불가능해 보이기 때문이다.

스코트

스코트: 영국의 계관시인(영국 왕실이 영국의 가장 뛰어난 시인에게 내리는 명예 칭호)

***

당당하고 솔직한 자세로 협상해라

다음은 실천에 대한 이야기를 해보자. 감정의 격화로 무의식 중에 상스러운 말이 튀어나올 것 같으면 자기 자신을 억제하고 언행을 부드럽게 해야 한다. 이것은 상대방이 윗사람이거나, 자기와 비슷한 사람이거나, 신분이 낮은 사람이거나, 모두에게 해당된다.

감정이 솟구치면 진정될 때까지 아무 말없이 침착한 상태로 표정을 관리해야 한다. 표정이 상대방에게 읽힌다면 특히 비즈니스에서는 치명적이다.

더 이상 양보할 수 없는 상황에서 상대방의 비위를 맞추거나 아부하는 행위는 절대로 금물이다. 그럴 경우에는 공격 일변도로 집요하게 공격을 반복하는 것이 좋다. 그렇게 하면 손에 넣을 수 있는 것은 반드시 손에 들어온다.

온화하고 내성적이며 언제나 양보하는 사람은 줏대가 없는 사람이다. 이때 남의 사정도 모르는 사람에게 있어 그런 사람은 짓밟히고 깔보이게 될 뿐이다. 그러나 거기에 확고한 주관이 있으면 존경을 받고 대부분은 마음먹은 대로 된다. 친구나 아는 사람한테도 마찬가지이다. 강한 의지는 그들의 마음을 사로잡고, 부드러운 언행은 밖으로부터 나의 적이 되는 것을 막아 준다.

한편 내부의 적도 부드럽게 대하라. 동시에 상대방에게 이쪽의 강한 의지를 보여 주고 자신에게 분개할 어떤 사유가 있음을 분명히 하는 것도 중요하다. 또한 다른 사람과 달라서 자신이 하는 일은 사리에 맞을 뿐만 아니라 정당 방위임을 명백히 해 두어야 한다.

일에 대한 교섭을 할 때에도 잊어서는 안 되는 것이 있다. 그것은 상대방에게 강한 의지를 느끼게 하는 것이다. 부득이 타협하지 않으면 안 될 최후의 순간까지 한걸음도 물러서서는 안 된다. 또한 절충안도 받아들여서는 안 된다. 어쩔 수 없이 타협할 상황이라도 끝까지 버티고 한걸음 한걸음 조금씩 물러서야 한다. 다만 그런 상황에서도 상대방의 마음을 붙잡기 위해 줄곧 부드러운 언행을 잊어서는 안 된다. 이때 상대방의 마음을 붙잡게 되면 마음을 움직여 이해를 구할 수도 있다. 그런 다음 지속적으로 당당하면서도 솔직하게 말을 하는 것이 좋다.

"여러 가지 문제는 있습니다만 그렇다고 해서 귀하에 대한 저의 존경심에는 변함이 없습니다. 오히려 귀하가 이번 일에 힘써 주신 것을 보고 그 비범한 능력과 열의에 감복하고 있습니다. 이토록 일을 훌륭하게 하시는 분을 개인적으로 가까이할 수만 있다면 얼마나 좋을까 생각해 보았습니다."

이처럼 '언행은 부드럽게, 의지는 강하게' 라는 원칙을 처음부터 끝까지 일관되게 밀고 나간다면 대개의 교섭은 성공적으로 이루어진다. 적어도 상대방이 마음먹은 대로 되지는 않는다. 그것이 단지 상대방을 따르기 위한 부드러움이 아니라는 것쯤은 이제 너도 이해할 것이다. 그런 것이 아니라고 해도 자기의 의견은 분명하게 또한 상대방의 의견도 틀렸다면 틀렸다고 분명하게 말해야 한다.

다시 한 번 강조하지만 내가 문제로 삼고 있는 것은 말하는 방법이다. 말할 때의 태도 · 분위기 · 단어의 선택 · 목소리 등 모든 것을 부드럽고 상냥하게 해라. 여기에는 억지스럽거나 무리가 따라서는 안 된다. 줄곧 자연스러워야 한다. 상대방과 다른 의견을 말할 때에도 상냥하면서도 품위가 있는 표정과 부드러운 언어를 쓰는 것이 좋다.

가령 "제 생각을 물으신다면 저는 이렇게 대답하겠습니다. 물론 분명하게 확신을 가지고 있는 것은 아닙니다만"이라든가, "확실하게는 모르겠습니다만 아마도 이런 뜻이 아닐까요"라는 식의 말투이다.

부드러운 말투라고 해서 설득력이 없는 것은 아니다. 오히려 북풍과 태양의 이야기처럼, 힘으로 밀어붙이는 것보다 지혜를 가지고 부드럽게 대응하는 것이 상대방의 마음을 확실하게 잡을 수 있다.

토론은 기분 좋게 끝내야 한다. 자기도 상처를 입지 않았고, 상대방에게도 인격에 손상을 줄 생각이 없었다는 것을 분명한 태도로 보여 주어야 할 필요가 있다. 그렇게 하지 않으면 아무리 일시적인 의견 대립이라 할지라도 서로를 멀리하게 할 뿐이다. '그까짓 태도쯤이야'라고 말할 수도 있겠지만 태도나 내용은 똑같이 중요할 때가 있다. 그것은 말하는 태도에 따라 호의를 베풀려고 한 일이 오히려 적을 만들거나, 익살스런 태도가 친구를 만드는 등, 태도 여하에 따라 상대방의 반응이 여러 갈래로 달라지기 때문이다.

결국은 얼굴 표정 · 말하는 방법 · 어휘의 선택 · 목소리 · 태도 등이 부드러우면 '언행은 부드럽게' 되고 거기에 '강한 의지'가 더해지면 위엄도 붙게 된다. 그러면 상대가 누구든 간에 마음을 사로잡을 수 있다.

명언 한마디

* 정말로 중요한 것은 행위가 어떤 결과를 낳았느냐가 아니라 바로 행위 그 자체이다. 당신은 옳은 일을 해야만 한다. 지금 당장 그 결실을 맺는다는 것은 당신이 생각한 능력 밖의 문제일지도 모른다. 다가올 세대에게 돌아갈 몫일지도 모른다. 그렇다고 그 옳은 일을 중단해서는 안 된다. 그것은 지금 당신이 그 일을 하지 않으면 아무런 결과도 없기 때문이다.

간디

간디: 인도 독립의 아버지. 젊은 시절 영국으로 유학, 변호사가 됨. 남아프리카에 있으면서 인종 차별 철폐에 전력했다. 1915년부터 인도 국민회의파에게 독립 운동을 지도했는데, 이것이 바로 비폭력 저항주의이다.

감정을 다스릴 때 협상은 더욱 빛난다

다소 계산적일지도 모르겠다. 그러나 세상을 사는 데에 있어서도 그 나름의 지혜가 필요하다. 그것을 먼저 알고 깨닫는 자가 많은 사람들의 마음을 사로잡아 빨리 출세한다. 자칫 젊은이들은 이러한 현실적인 논리를 혐오스러운 것쯤으로 생각하기 쉽다.

내가 지금부터 너에게 이야기하려는 것도 먼 훗날에 네가 '좀 더 일찍 알았었더라면 좋았을 텐데' 라는 식의 후회가 없기를 바라는 마음에서 몇 가지 조언을 하려고 한다. 세상을 살아가는 지혜의 기본은 자기의 감정을 숨기는데 있다. 즉, 행동을 하기에 앞서 마음의 동요가 표정으로 나타나는 것을 눈치채지 못하게 하는 것이다. 그것을 눈치채게 되면 모든 것은 능수 능란하고 냉정한 상대방의 계획에 따라 끌려가게 된다. 이럴 경우 직장 생활을 하거나 일상 생활을 할 때 상대방에게 조종을 당할 가능성이 높다.

표정 관리를 못해 싫은 소리를 들을 때에는 화를 내면서 표정이 굳어지는 사람들과 좋은 소리를 들을 때에는 너무 기쁜 나머지 표정이 풀리는 사람들이 있다. 이처럼 노골적으로 감정을 드러내면 교활하면서도 주제넘게 잘난 체하는 사람들의 희생물이 된다. 교활한 사람이나 주제넘게 잘난 체하는 사람들은 상대방이 웬만해서는 입 밖으로 내지 말아야 할 비밀을 캐기 위해 어떤 식으로든 화낼 만한 말을 고의적으로 꺼낸다. 그렇지 않으면 기뻐할 만한 말로 반응을 살핀다. 그들의 공통점은 자기들에게 이익이 되는 일은 못하고 남 좋은 일만 시킨다.

냉철한가 그렇지 않은가는 하나의 성격 탓이지 의지의 힘으로는 어쩔 수 없는 것이 아니냐고 너는 반문하겠지. 사실 냉철한가 그렇지 않은가는 성격 탓이다. 그러나 모든 것을 성격 탓으로 돌리기 전에 마음먹고 노력한다면 어느 정도는 고칠 수 있다.

일반적으로 사람들은 이성보다 감정을 앞세우는 경향이 있다. 그렇다 해도 나는 이성이 감정을 억제할 수 있다고 생각한다. 어떤 상황이든 갑자기 감정이 폭발할 것 같으면 진정될 때까지 말을 하지 않는 것이 좋다. 얼굴 표정도 될 수 있는 한 바꾸지 말아야 한다. 평소에 이 점을 명심하고 있으면 틀림없이 가능해진다.

어떤 사람은 꽤 유식해 보이는 말이나 재치 있는 말을 무의식적으로 한다. 이런 말들이 순간적으로 박수는 받겠지만 뒷전에서는 좋지 않게 생각한다. 오히려 적대감을 줄 뿐이다.

만일 빈정대는 말을 너에게 하거든 못 들은 척하는 것이 가장 좋은 방법이다. 또한 그것을 그냥 웃어넘기거나 상대가 말한 것을 인정해 줘라. 그리고 빈정대는 것이 재치가 있다고 칭찬해 준 다음 자연스레 그 자리를 떠나는 것이 좋다. 어떤 일이든 똑같이 되받아쳐서는 안 된다. 그런 짓은 내가 상처를 입었다는 것과 같아서 아무리 해명을 하더라도 헛일이 된다.

***

속마음을 드러내면 상대방을 제압할 수 없다

어떤 일이든 혈기가 있는 사람을 상대로 협상을 하면 뜻밖의 좋은 결과를 얻을 수 있다. 상대방은 혈기 때문에 사소한 것에도 마음의 동요를 일으켜 예상 밖의 말을 할 뿐만 아니라 표정 관리 또한 못한다. 이런 사람을 대할 때에는 다양한 방법으로 넘겨짚고 표정을 살펴봐라. 그러면 반드시 그 의중을 알아낼 수 있다.

이처럼 일의 성패는 상대방의 속마음을 읽을 수 있느냐 없느냐가 관건이다. 이때 자기의 감정이나 표정을 숨길 수 없는 사람은 그렇게 할 수 있는 사람의 손에서 놀아나기 마련이다. 다른 모든 조건이 같을 경우에도 상대방이 수완가라면 더더욱 승산이 없다.

옛날의 격언 중에 '속마음을 읽혀서는 상대방을 제압할 수 없다'라는 말이 있다. 나는 더 극단적으로 이렇게 말하고 싶다. '속마음을 읽혀서는 어떤 일도 성취할 수 없다' 라고. 그렇다면 무조건 '알고도 모르는 체하란 말입니까' 그러나 그렇게 하는 것이 결코 잘못은 아니다.

상대방에게 속마음을 읽히지 않도록 어떤 일이든 알고도 모르는 체하는 것과, 상대방을 속이기 위하여 알고도 모르는 체하는 것은 크게 차원이 다르다. 그리고 나쁜 것은 후자의 경우이다. 사람을 속이기 위하여 감정을 숨기는 것은 도덕적으로도 어긋날 뿐만 아니라 비열한 짓이다.

베이컨(영국의 철학자. 문학가. 정치가. 영국 고전론의 창시자) 경도 다음과 같은 말을 했다.

"상대방을 속이는 짓은 지적인 사람의 할 일이 아니다. 자기의 속마음을 읽히지 않기 위해 감정을 감추는 것은 카드를 상대방에게 보여 주지 않는 것과 같고, 상대방을 속이기 위해 그렇게 하는 것은 상대방의 카드를 훔쳐보는 것과 다름없다."

정치가인 볼링브룩(영국의 정치가. 문인) 경도 그의 저서에서 다음과 같이 말을 하고 있다. 이 책을 될 수 있는 한 빠른 시일 내에 너에게 보낼 생각이다.

"남을 속이기 위해 감정을 감추는 것은 칼을 휘두르는 것과 같아서 바람직하지 못한 행위이며 불법 행위이다. 그리고 일단 칼을 사용하면 그 어떤 정당한 이유나 변명도 통하지 않는다."

속마음을 읽히지 않도록 감정을 감추는 것은 방패를 드는 것과 마찬가지이며, 기밀을 보전하는 것은 갑옷을 입는 것과 같다.

일을 앞두고 감정을 감추지 않으면 기밀을 보전할 수 없다. 기밀을 보전할 수 없으면 무슨 일이든 실패한다. 그런 의미로 볼 때 금을 섞어 경화를 주조하는 기술과 비슷하다. 금속을 조금 섞는 것은 필요하지만 너무 지나치게 섞으면(비밀주의가 지나쳐서 교활하게 되는 것처럼) 경화는 통화로서의 가치를 잃고 주조자의 신용도 바닥에 떨어지는 법이다.

마음속에서 아무리 감정의 폭풍이 거칠게 몰아쳐도 그것을 표정이나 말로 표현되지 않게 자기의 감정을 완전히 감출 수 있도록 노력해라. 이것은 힘든 일이지만 불가능한 것도 아니다. 현명한 사람은 불가능한 일에 도전하지 않는다. 그러나 아무리 어려운 일이라도 추구할 가치가 있다면 몇 배의 노력을 해서라도 반드시 해낸다. 그러니 너도 분발해 주기 바란다.

때로는 모른체하는 것이 현명하다

가끔은 알면서도 모른체하는 것이 큰 도움이 된다. 이것이 현명한 것이 아닐까.

예를 들어 누군가가 어떤 이야기를 하려고 할 때 모른체한다면 그 사람은 "혹시 이런 이야기를 아십니까"라고 물어 온다. 그럴 경우 알고도 모른체하면 상대의 이야기를 계속해서 들을 수 있다. 이처럼 이야기를 하는 것에 기쁨을 느끼는 사람도 있다. 또한 무엇인가 새로운 정보를 찾아내어 그것을 자랑삼아 들려주는 사람도 있다. 그것은 중요한 정보를 들려줄 만큼 자기 자신이 뛰어나다는 것을 과시하고 싶어서 그러는 것이 아닐까.

"혹시 이런 이야기를 아십니까"라는 질문에 대하여 네가, "압니다"라고 대답해 버리면 그 사람은 곧 실망하고 만다. 결국 잘난 체하는 사람으로 소문이 나면 그 이후로 사람들은 너를 점점 멀리하게 될 것이다.

누군가에 대한 개인적인 모함이나 추문은 귀가 따가울 정도로 들었다. 그렇다고 해도 진정한 친구가 아니라면 전하지도 말고 그런 것에 대해 못 들은 체하는 것이 좋다. 대개 이런 경우에는 듣는 쪽이나 말하는 쪽이나 똑같이 나쁘다고 생각한다. 따라서 그런 화제가 입에 오를 때 사실을 다 안다고 해도 항상 모른체 들어주는 것이 현명하다. 그렇게 늘 아무것도 모른체하면 정말로 알지 못했던 정보를 우연한 기회에 얻을 수 있다. 사실 이것이야말로 가장 좋은 정보 수집이다.

대개의 사람들은 아무리 하찮은 일이라도 순간적으로 허영심을 드러낸다. 그러니 말해서는 안 될 것도 과시하기 위해 이것저것 상대가 모르는 것까지 함부로 나서서 말을 한다. 그럴 때 알고도 모른체 넘어가면 여러 가지 정보를 얻는다. 또한 음모나 계략을 꾸미는 부류와는 다르다고 여겨 상대방은 계속해서 말을 한다.

어쨌든 정보는 얻어야 한다. 우연히 들은 정보는 자세히 알아보고, 정보를 수집할 때에는 현명한 방법을 취해야 한다.

번번이 처음부터 끝까지 귀를 기울이거나 직접 물어 보는 것은 현명한 방법이 못 된다. 그런 행동을 하면 상대방은 경계의 눈초리를 보낸다. 그리고 가치가 없는 말만을 되풀이하게 되는데, 결국 시시한 정보밖에 얻을 수 없다. 그런데 알고도 모른체하는 것과는 반대로 당연히 모든 것을 다 알고 있는 체하는 것도 효과가 있다. 당장 맞장구를 치면서 친절하게 모든 것을 이야기해 주는 사람이 있는가 하면, 이런 얘기도 있는데 사실은 이러저러하다고 말을 해 주는 사람도 있다. 그리고 그 밖에 모르는 것이 또 없느냐고 이것저것 물어 보면서 추가 정보까지 제공해 주는 사람도 있다. 이러한 생활의 지혜를 자유자재로 활용하려면 항상 자신의 주변에 관심을 가지고 침착하게 행동해라.

전쟁이라면 무적이었던 아킬레우스(그리스 신화에 나오는 영웅이며, 호머의 서사시 「일리아드」에 나오는 주인공으로서 바다의 여신 테티스와 펠레우스 왕의 아들)도 전쟁터로 나갈 때에는 완전 무장을 했다.

사회는 너에게 전쟁터와 같은 곳이다. 늘 완전 무장을 하고 또한 약점이 있는 부분은 갑옷을 한 벌 더 겹쳐 입는 것과 같은 정도의 마음 자세가 필요하다. 그것은 사소한 부주의와 방심은 전쟁터에서 목숨을 잃는 것과 다름이 없기 때문이다.

명언 한마디

* 거짓말을 잘하는 사람에게 어울리는 형벌은 그가 사람들로부터 불신을 당하는 것이 아니다. 오히려 그 자신도 믿지 못하게 되는 것이다.

버나드 쇼

버나드 쇼: 영국의 극작가·소설가·사회평론가·음악평론가. 진화론과 자본론의 영향을 받아 페이비언 협회에 가입. 1892년 희곡 「홀아비의 집」을 발표하여 극작가의 반열에 올랐다. 1925년 노벨 문학상을 수상. 대표작은 「인간과 초인」 「시저와 클레오파트라」 등이 있다.

친분 관계가 성공을 부른다

이 편지는 내가 몽펠리에에 머무르고 있는 동안 너에게 배달될 것이다. 하트 씨의 병이 크리스마스 전에 완쾌된다면 그와 함께 나는 파리로 갈 생각이다. 파리에 가면 너에게 꼭 소개하고 싶은 두 사람이 있다.

둘 다 영국 사람인데 주목할 만하다. 두 사람 중 한 사람은 여자이다. 그렇다고 해서 이성으로 가까이 하라는 것은 아니다. 그 문제는 내가 이래라저래라 할 것은 못 되지만 유감스럽게도 그 사람은 쉰 살이 넘은 하비 부인이다. 전에 디종에 가서 만나 뵙고 오랬던 분으로 이번 겨울을 파리에서 보내겠다고 한다.

그 부인은 궁정에서 태어나 궁정에서 자랐다. 궁정의 어두운 부분을 제외한 좋은 부분, 즉 예의 범절이나 품위 그리고 친절함을 두루 갖추고 있다. 식견도 높고 여자로서 읽어야 할 많은 책들을 읽었다. 또한 라틴어도 자유자재로 한다. 남이 눈치채지 않도록 이 모든 것을 자연스레 감추고 있는 그분이 너를 자기 자식처럼 대해 줄 것이다. 너도 그 부인을 나처럼 생각하고 무엇이든 의지하고 상의해라. 유럽의 여러 나라를 다녀 봐도 이 역할을 충실히 해낼 분은 그 부인이 유일한 것 같다. 사람을 대하는 방법, 그리고 언행과 예법에 있어서 부족하고 부적절한 것이 있으면 그때마다 지적해 줄 것을 부탁해라. 그러면 너에게 큰 도움이 된다.

그리고 또 한 사람은 너도 익히 알고 있는 한팅던 백작인데 내가 너 다음으로 애정을 쏟고 높이 평가하는 인물이다. 그런데 기쁘게도 나를 양아버지처럼 따라 주고 그렇게 불러 주고 있다. 그는 우수한 자질과 폭넓은 지식 그리고 성격을 더해 종합적으로 평가한다면 이 나라에서 가장 훌륭한 젊은이가 아닌가 싶다. 그는 나의 마음을 잘 이해하고 있어 너와 친밀하고 허물없이 지낼 것이다. 너를 위해서라도 서로의 관계를 깊이 유지하고 그 가치를 높였으면 한다. 또한 그렇게 할 수 있을 것으로 믿는다.

우리가 사는 사회는 연고 관계가 필요하다. 관계를 신중하게 맺고 지속적으로 유지할 수만 있다면 그러한 친분 관계는 반드시 성공의 길로 가게 된다. 친분 관계에는 두 가지가 있다. 너는 그 차이를 항상 염두에 두고 행동하기 바란다.

첫째는 대등한 연고 관계이다. 이것은 소질이나 역량이 비슷한 두 사람이 특별하게 편익을 주고받는 관계로써 비교적 자유로운 교류와 정보 교환이 이루어진다. 그러나 서로의 능력을 인정하고 스스로 힘을 써 주지 않는 한 성립이 되지 않는다. 다시 말해 기본적으로 상대방을 존중하는 마음이다. 서로 의존할 수밖에 없는 상태이므로 견해가 대립된다고 하더라도 점차 조금씩 양보하면 최종적으로 합의에 도달하고 결국은 같은 행동을 취하게 된다. 내가 한팅던 백작과 네게 바라는 것도 이와 같은 관계이다. 둘은 거의 동시에 사회에 진출할 것이다. 그때 너와 백작이 능력과 집중력을 발휘하여 집단을 결성한다면 모든 행정 기관도 무시 못할 집단이 된다. 이런 경우 서로에게 발전이 있다.

둘째는 대등하지 못한 특수 관계이다. 한 쪽에는 지위나 재산이 있고 또 다른 한 쪽은 소질과 역량이 있는 경우가 그것이다. 그런 관계는 한 쪽만이 이익을 얻게 될 가능성이 크다. 또한 그 이익도 표면상 드러나지 않도록 교묘하게 덮는다. 이익을 얻는 쪽은 상대방의 마음에 들도록 비위를 맞추면서 상대방의 우월한 행동을 꾹 참고 견딘다. 이익을 주는 쪽은 핵심적인 부분을 다룰 줄 몰라서 헤메는데 자기 딴에는 상대방을 잘 다룰 줄 안다고 생각을 한다. 그렇지만 사실은 자기 혼자서 그렇게 생각하고 있을 뿐 상대방이 뜻하는 대로 끌려간다. 그런 사람을 교묘하게 다루면 다루는 쪽이 커다란 이득을 본다. 이와 같은 예는 전에도 편지에 쓴 것 같은데 그런 관계는 일반화되어 있다.

냉철함이 경쟁자를 이길 수 있다

자기가 싫어하는 사람을 어떻게 대하고 처신할 것인가를 앞서 알아 두는 것은 현명한 일이다. 그러나 그것을 알고 있다 해도 막상 실천에 옮기려면 젊은이들에게 있어 쉬운 일은 아니다. 그들은 사소한 일에도 앞뒤 가리지 않고 흥분한다. 이것은 직장 생활이나 이성 문제에 있어서도 마찬가지이다. 자기를 비판하면 순간 민감해져 그 즉시 상대방을 싫어하게 된다. 젊은이들에게는 경쟁자도 적과 다름이 없다. 대개의 경우 경쟁자가 눈앞에 나타나면 이성적인 행동에 앞서 냉담함과 무례함으로 일관한다. 그리고 무슨 수를 써서라도 이길 궁리만 한다. 이와 같은 처신은 통찰력이 부족하다는 증거이다. 경쟁자를 냉담하게 대한다고 해서 자기의 뜻이 관철되는 것은 아니다. 오히려 제3자가 끼어들어 종종 이익을 가로채는데, 물론 상황이 그렇게 간단하지만은 않다. 그것은 나도 인정한다. 어느 한 쪽도 그리 쉽게 받아들일 수 없기 때문이다.

특히 일이나 연애나 미묘한 문제는 더 그렇다. 이 문제는 어떤 누구에게도 간섭받기를 원치 않는다. 하지만 그 결과가 어떻게 될 것인지는 예상해야 한다.

가령 A와 B가 한 여자를 사이에 두고 경쟁을 한다. 경쟁자 간에 불쾌한 얼굴로 외면하거나 헐뜯으면 순식간에 분위기는 험악해진다. 그 여자는 물론이고 주변 사람들 조차도 불쾌감을 느낀다. 이때 A가 진실과 상관없이 B에게 선의의 경쟁을 하자고 제안을 해 온다면 어떻게 될까? B는 뜻밖에도 속좁고 초라하게 비쳐져서 사랑하는 여자는 A에게 호감을 갖게 될 것이다. 그런데 상황이 어떻게 돌아가는지도 모르는 B는 그 여자가 나약한 상대에게 마음이 쏠리는 것을 원망스러워할 것이다. 그러면 그럴수록 이성을 잃은 태도에 그 여성은 화를 내게 되고 결국에는 더 멀어지게 된다. 일에 있어서도 마찬가지이다. 자기의 감정을 자제하고 냉철해질 수 있는 사람이 경쟁자를 이길 수 있다.

프랑스 사람들은 '겸손하고 정중한 태도' 라는 말을 즐겨 쓴다. 이것은 삼각 관계에 있어서 어느 한 쪽이 적대감을 노골적으로 드러내면 각별히 상냥하게 대하라는 뜻이다.

이해를 돕기 위해서 나의 경험담을 이야기하겠다. 네가 똑같은 입장에 서게 되었을 때 기억을 더듬어 참고하기 바란다.

내가 오스트리아의 계승전쟁(오스트리아의 여왕 마리아 테레지아의 왕위 계승을 둘러싸고 일어난 전쟁) 문제로 네덜란드에 파병을 요청한 그 당시의 이야기이다.

너도 잘 알겠지만 네덜란드 헤이그에는 대수도원장이 있었다. 그는 프랑스 편에 서서 네덜란드의 참전을 막으려고 한 인물이다. 그렇다 해도 지혜롭고 근면한 그와 오랜 숙적으로 남는다는 것이 몹시 안타까웠다. 그러던 어느 날 제3자의 주선으로 그를 소개받자, 나는 이런 말을 했다.

"비록 국가끼리는 적대 관계에 있지만 저는 국가를 초월하여 서로 가까이 지낼 수 있다고 생각합니다."

그러자 정중하게 대수도원장은 "저도 그렇게 생각합니다."

이틀 뒤, 나는 아침 일찍 암스테르담의 회의장으로 가게 되었는데 때마침 그곳에는 대수도원장이 있었다. 나는 대수도원장과 이미 알고 있었다는 사실을 대의원들에게 알린 후 부드럽게 미소를 지으면서 말했다.

"저의 오랜 숙적이 여기에 계신다는 사실이 정말 당혹스럽습니다. 이렇게 말씀드리는 것은 다름이 아니라 이분의 능력은 이미 나에게 부담이 됩니다. 그렇다 해도 부디 이분의 힘에 치우치지 말고 이 나라의 이익만을 위해 결정해 주실 것을 부탁드립니다."

그날 내가 제대로 말을 했는지는 장담할 수 없다. 그러나 마지막 한마디는 확실하게 전달되었다고 생각한다. 내 말이 끝나자 그 자리에 있던 모든 사람들이 미소를 지었다. 대수도원장도 나의 정중한 찬사에 그리 싫지 않은 기색이었고 15분쯤 지나서 회의장을 떠났다. 나는 좀 더 적극적이고 진지하게 설득을 계속해 나갔다.

"내가 여기에 온 이유는 오직 네덜란드의 국익을 위해서 입니다. 여러분은 주변 상황에 현혹될 수도 있습니다. 하지만 나는 일체의 거짓 없는 진실만을 말씀드리고자 합니다."

결국 나는 목적을 달성했다. 그 후로도 그날 제3자가 마련한 자리에 있을 때와 같이 겸손하면서도 정중한 태도로 그분과 친분 관계를 유지하고 있다.

***

처신을 속임수로 생각하지 마라

경쟁자를 어떻게 대할 것인가? 그것은 최고로 상냥하게 대할 것인가 아니면 그를 완전히 무시해 버릴 것인가.

그 태도는 둘 중 하나이다. 만일 고의적으로 상대방이 온갖 치사한 방법을 동원하여 너를 모욕하거나 경멸한다. 그러면 주저하지 말고 완전히 무시해도 좋다. 다만 상대가 터무니없는 말로 너에게 상처를 줄 정도라면 겉으로는 매우 예의바르게 행동해야 한다. 그렇게 하는 것이 상대에 대한 보복이 되고 아마 너를 위하는 방법이기도 하다. 이것이 상대를 속이는 것은 아니다.

설령 네가 그 사람의 가치를 인정하여 친구가 되고 싶다고 하더라도 그것은 비굴한 짓이다. 그런 사람과는 친구가 되지 마라. 또한 친구가 되길 바라지도 마라.

공적인 자리에서 노골적으로 무례한 행동을 할 때, 그것에 대하여 정중히 지적을 하는 것은 비난받을 일이 아니다. 오히려 주변 사람들에게 불쾌감을 주지 않기 위해 노력하는 것으로 보일 것이다.

세상을 사는 동안 개인적인 원한으로 단체에 피해를 주어서는 안 된다. 이것은 무언의 약속이다. 이 불문율을 서슴없이 깨는 사람은 지탄의 대상이 될 뿐만 아니라 동정을 받지도 못한다.

사회라는 것은 시기와 증오, 질투와 원한 등이 소용돌이치는 곳이다. 열심히 노력하는 사람도 많지만 교활하게 남의 열매를 가로채는 사람도 있다. 또 잘될 수도 못 될 수도 있는 것처럼 오늘은 성공했는가 싶더니 내일은 실패하는 경우가 있다. 늘 예의바르고 온순하면 이 험난한 세상을 살아가기 힘들다. 같은 편이 언제 적이 될지도 모른다. 또한 적이 언제 같은 편이 될지도 모르는 것이 현실이다. 그렇기 때문에 마음속으로는 싫지만 겉으로는 상냥하게 대하라. 그리고 친분이 있다고 하더라도 신중하게 처신해라.

준비하는 삶을 위하여

이미 너는 사회인으로 첫발을 내딛었다. 따라서 나는 네가 성공하기를 간절히 바란다.

이 세계는 실천이 무엇보다도 훌륭한 공부이다. 동시에 모든 것에 대한 배려와 이해가 필요하다. 나는 너에게 편지를 쓰는 방법에 대하여 조언을 한 다음 끝을 맺겠다. 이것은 사회인으로 몸에 지녀야 할 요소가 잘 집약되어 있다.

먼저 사무적인 편지를 쓸 때에는 내용을 분명하게 하는 것이 중요하다. 세상에서 가장 머리가 둔한 사람이 읽어도 뜻을 알 수 있을 정도로 분명하게 쓰지 않으면 안 된다. 그러기 위해서는 바르고 정확해야 한다. 덧붙여 품위가 있다면 더 바랄 것이 없다. 사무적인 편지에서는 일반적으로 개인 신상에 관한 것, 좋아하는 은유나 비유, 서로 다른 것을 대조시켜서 강조하는 표현, 사상이나 진리를 나타내는 문구 등은 피하는 것이 좋다. 차라리 간결하고 품위 있는 것이 좋으며 사소한 배려가 바람직하다.

옷차림에 비유해서 말하자면 정장은 좋은 느낌을 준다. 그렇지만 너무 지나치게 화려하거나 단정치 못하면 좋은 인상을 받지 못한다.

자기가 글을 쓸 때에는 단락마다 제3자의 입장에서 다시 읽어 본 다음, 오해를 살 만한 대목이 있는지 없는지를 점검해야 한다.

대명사나 지시 대명사는 주의해서 쓰는 것이 좋다. '그것' '이것' '본인' 등등을 너무 자주 써서 오해의 여지가 생길 경우, 다소 길어지더라도 명백히 'XX 씨' 'OO의 건' 이라고 명시하는 편이 낫다.

사무적인 편지라고 해서 딱딱하게 격식이나 형식에 치우칠 필요는 없다. 도리어 '귀하를 알게 되어 영광입니다' 라든가, '저의 의견을 말씀드리자면……' 과 같은 경의를 표하는 것도 괜찮다.

해외에 나가 있는 외교관이 본국으로 편지를 보낼 때에는 대개 윗사람인 각료나 지원을 요청할 사람에게 쓰는 경우가 대부분이다. 그러니 특히 이 점을 주의하지 않으면 안 된다.

편지지를 접는 법과 봉투에 넣고 봉하는 법, 수신인의 주소·이름 쓰는 법 등에도 그 사람의 인격이 나타나는 법이다. 너는 그것을 그렇게까지 하고 싶지 않겠지만 그러한 점까지 배려해야 된다는 것을 명심해라.

사무적인 편지를 쓸 때에 꼭 필요한 것은 아니지만 바람직한 것이 품격이다. 그런 의미에서 글씨는 중요한 요소이며 사무적인 편지의 기본이라 할 수 있다. 문자나 문체를 지나치게 장식하면 역효과가 난다. 간소하면서도 품위가 있고 위엄을 느끼게 하는 것이 바람직하다. 그러한 편지를 쓸 수 있도록 노력을 게을리 하지 마라.

문장은 너무 길거나 너무 짧아도 안 된다. 뜻이 전달될 정도의 길이가 바람직하다. 너는 곧잘 철자법이 틀리는데 그것도 무시당하는 요인 중의 하나이다. 또 네 글씨가 왜 그렇게 엉망인지 나는 이해할 수 없다. 눈과 손이 정상인 사람은 보기 좋게 글씨를 쓸 수가 있다고 생각하는데 말이다.

나로서는 네가 글씨를 좀 더 잘 쓰게 되기를 바랄 뿐이다. 나는 네가 글씨 교본처럼 또박또박 쓰거나 신중한 자세로 쓰라는 것은 아니다. 사회인이라면 빨리 알아보기 좋게 쓸 수 있어야 한다. 그러기 위해서는 연습과 실천만이 있을 뿐이다.

지금은 보기 좋게 쓰는 습관을 몸에 익혀라. 그렇게 하면 윗사람에게 편지를 쓸 경우, 글씨에 신경 쓸 필요도 없이 내용에만 집중할 수 있다.

젊은 시절 학업을 게을리 한 탓으로 변별력이 떨어져 어떤 일이든 사소한 것에 집착하는 사람들이 있다. 그런 사람들은 정작 큰일을 맡기면 능력이 모자라 비웃음을 산다. 그런 경우 '작은 일에 있어서는 통이 큰 사람, 큰일에 있어서는 소심한 사람'으로 불린다. 그것은 큰일에 대처하지 않으면 안 될 때에도 작은 일에 마음을 빼앗겼기 때문이다.

너는 지금 작은 일을 하는 시기에 있고 또 그런 위치에 있다. 현재는 작은 일에 있어서 잘 마무리하는 습관을 길러라.

머지않아 너에게도 큰일이 맡겨질 터인데 그때 가서 작은 일에 걱정을 하지 않도록 지금서부터 준비해라.

어른이 아이를 가르치지 않고 이용하려 한다면 어느 순간 사회의 악으로 남습니다

아이를 꾸짖음에 있어서는 잘못만을 꾸짖지 말고 그 잘못으로 인해 다시 잘못을 되풀이 하지 않도록 길을 가르쳐 주어야 합니다. 그렇게 하면 아이도 불평없이 스스로 굽히고 감화를 받아서 두 번 다시 그러한 잘못을 되풀이하지 않습니다. 한편 자기를 꾸짖음에 있어서 잘못이 없을 때라도 혹시 잘못이 있지 않을까 하여 반성한다면 잘못을 앞서 방지하고 교양이 높아져 덕이 크게 쌓입니다.

30초 동안 머무는 영혼 이규각(시인)